작가 소개

남애영
글, 그림 작가

 AI를 활용하여 그림을 전시하였으며, 최첨단 기술과 문학·예술의 융합을 탐구하고 인간의 감성과 기술의 아름다운 조화를 추구합니다. 심리와 관련된 시집과 동화책 출간을 준비 중이며, 인공지능의 독창적인 발상과 문학적 상상력이 결합된 여정을 통해 다채로운 이야기를 전달할 예정입니다.

안순영
AI작가

 애니영 작가는 AI에 관심이 많은 작가입니다. 이번에 공동 저자로 첫 출간을 하게 되었습니다. 책을 통해 독자들이 AI 기술을 활용해 창작하는 과정에 도움이 되었으면 좋겠습니다. 이번 기회를 발판 삼아 앞으로도 지속적으로 성장해 나갈 수 있도록 노력하겠습니다.

지승주

글, 그림 작가

지승주 작가는 인생 항해 길에 혼자서 다 할 수 없기에 서로가 협력하고 나누고 배우는 교학상장과 우분투 정신으로 동반 성장하자는 예술 작가이다. 저서로는 신중년을 위한 세상에서 가장 쉬운 AI가이드(공저), 소리의 선물(보청기의 역할과 중요성), 마법 같은 순간들, Novaedu 프롬프트로 그리는 AI 그림(공저)이 있다.

정진희

글 작가

일상 속 소소한 행복을 찾는 소소한입니다. 일상의 작은 기쁨을 발견하며, 새로운 도전을 즐기는 작가입니다. 도전은 낯설고 큰 벽을 허물고 새로운 세계로 나아갈 수 있게 하며, 그 과정에서 많은 것을 배우고 더욱 성장할 수 있게 해줍니다. 앞으로도 더 많은 즐거움을 찾기 위해 노력할 것입니다.

최선희

글 작가, 디지털 교육자

디지털 교육자에서 이제는 AI로 예술 창작을 하고 있는 작가 오린입니다. 요즘은 AI로 교육과 예술의 새로운 가능성을 연구하는 재미에 빠져 있습니다. 앞으로 더 많은 혁신과 창의적인 시도로 AI가 가져올 변화를 두려워하지 않고 그 잠재력을 최대한 활용해 더 나은 교육과 창작의 미래를 만들어 가고 싶습니다.

최유경

Artist(AI, NFT, Digital) AI 그림책 작가

AI 프롬프트를 붓으로 이용하여 이미지를 그리면서 이야기를 만들어내고 있습니다. 여러 가지 생성 AI와 협업하고, 다양한 Digital, Physical 도구를 활용하여 경계와 영역을 확장해 나가고 있습니다. 2024년 4월, AI와 함께 만든 그림책 '보라랜드의 봄 – 큐오라와 봄의 꽃말'을 출간하였습니다.

현혜숙

글 작가, 예술 강사

현혜숙 작가는 글을 쓰면서 예술활동을 하고 있습니다. 희곡 바이올린을 출판했고 연극공연을 제작하고 있으며 예술강사로 활동하고 있습니다. 영화에 관심이 많아서 앞으로 영화치료와 영화제작, 뮤지컬 제작이 목표입니다. 인생은 끝없는 도전이 아닐까요!

들어가는 말

모두의 AI 활용 글쓰기와 출판 가이드는 한국AI작가협회 소속의 작가 7명이 협회에서 진행된 '글쓰기 공저책 출판' 교육과정에서 얻은 배움을 바탕으로 열정 가득 집필하여 탄생한 매우 의미 있는 공저책입니다.

본 책은 제목 그대로 모든 사람이 쉽게 접근할 수 있는 AI 활용 글쓰기와 출판에 대한 내용이 담겨있습니다. 이처럼 모든 사람이 볼 수 있도록 비교적 쉬운 내용 위주로 담아낸 이유는 연일 AI와 관련한 뉴스와 이야기들이 터져 나오고 있는 상황과 달리, 적극적으로 AI를 다루고 있는 사람은 적은 것으로 나타났기 때문입니다. 따라서 이러한 상황 속에서 먼저 시장에 진입하여 적극적으로 AI를 다루고 있는 한국AI작가협회 소속의 작가들은 새롭게 진입하는 사람들의 어려움을 최대한 경감시키고자 본 책의 주제로 집필을 하게 되었습니다.

이에 따라 본 책에서는 AI 활용 글쓰기에 대한 이해로 첫 시작을 알리고, 이어서 AI 소설 쓰기, AI 동화책 쓰기, AI 에세이 쓰기, AI 가사 쓰기와 음악 생성에 대한 내용을 다루는 것으로 다양한 AI 활용 글쓰기에 대한 정보와 지식을 얻을 수 있습니다. 또한, 글쓰기에서 더 나아가 출판 준비에 대한 부분을 시작으로 집필 단계, 출판 등록 및 홍보마케팅에 이르기까지의 정보와 지식도 알아가실 수 있습니다.

호랑이는 죽어서 가죽을 남기고 사람은 죽어서 이름을 남긴다 하였습니다. 나의 이름을 책으로 남겨보시면 어떨까요? 이제는 자면서 꾸는 꿈이 아닌, 세상을 바라보며 꿈을 펼칠 시간입니다.

도전하세요. 그리고 AI를 적극적으로 활용하여 AI시대에 앞서가는 인재가 되어보세요. 앞서가는 그 길 앞 펼쳐진 미래의 풍경은 따스한 봄날일 것입니다.

2024. 07. 22
공저책 출판 총괄
박 종 식

목 차

4. AI 활용 에세이 쓰기

5. AI 활용 가사 쓰기와 음악 생성

8. 출판 등록 및 홍보마케팅

1장

AI 활용 글쓰기의 이해

AI 활용 글쓰기는 우리가 콘텐츠를 만드는 방식을 바꾸고 있습니다. 작가는 인공지능을 사용하여 생산성을 높이고, 글쓰기의 일관성을 유지하며, 새로운 창의적 가능성을 탐색할 수 있습니다. 첫 장에서는 모든 사람이 이해할 수 있는 방식으로 AI 활용 글쓰기의 기본 측면을 설명하여 모든 독자가 글쓰기 작업에 이러한 강력한 도구를 사용하는 방법을 배울 수 있도록 돕습니다.

AI 활용 글쓰기는 모든 기술 수준의 작가에게 수많은 이점과 가능성을 제공합니다. 작가는 AI의 기능과 역할, 문제를 이해함으로써 AI를 작업 흐름에 효과적으로 통합하여 글쓰기 프로세스와 결과물을 향상할 수 있습니다. 이제 막 글쓰기를 시작하는 사람이든 숙련된 작가든 AI는 글쓰기 여정에서 귀중한 조력자가 될 수 있습니다.

1. AI 활용 글쓰기의 특징

AI 활용 글쓰기는 인공지능의 능력을 활용하여 콘텐츠 제작을 지원합니다. 엄청난 양의 데이터를 분석하고 글쓰기 패턴을 인식함으로써 인간의 글쓰기와 매우 유사한 텍스트를 생성할 수 있습니다. AI 활용 글쓰기를 매우 강력하게 만드는 몇 가지 주요 기능은 다음과 같습니다.

1) 주요 기능

(1) 콘텐츠 생성

AI의 가장 인상적인 기능은 다양한 유형의 콘텐츠를 생성하는 능력입니다. 기사, 스토리, 자세한 보고서가 필요한 경우에 AI는 놀라운 효율성으로 이러한 항목을 작성할 수 있습니다. 예를 들어 AI는 방대한 지식 활용을 통하여 정확하고 일관된 콘텐츠를 제공함으로써 창의적인 이야기, 심지어 학술 논문까지 작성할 수 있습니다.

(2) 편집 및 교정

AI는 편집과 교정에도 뛰어납니다. Grammarly와 같은 도구는 인공지능을 사용하여 작문에 대한 수정 및 개선 사항을 제안합니다. 이러한 도구는 문법 실수를 찾아내고, 더 나은 단어 선택을 제안하며, 글을 더 명확하고 매력적으로 만들기 위한 문체 추천도 제공할 수 있습니다.

(3) SEO 최적화

자신의 콘텐츠를 인터넷에서 더 잘 보이게 하려는 사람들에게 AI는 SEO(검색 엔진 최적화) 최적화를 통해 귀중한 지원을 제공합니다. AI는 귀하의 콘텐츠가 검색 엔진 결과에 나타날 가능성을 높이는 올바른 키워드와 문구를 선택하는 데 도움을 줄 수 있습니다. 이는 더 많은 사람들이 자신이 작성한 내용을 찾고 읽을 수 있음을 의미합니다.

(4) 번역

Google 번역과 같은 AI 활용 도구는 텍스트를 여러 언어로 번역하는 놀라운 기능을 제공합니다. 이것으로 전 세계의 사람들은 자신이 만든 콘텐츠를 AI를 활용하여 즉각적으로 번역하여 이해할 수 있습니다.

즉, 언어의 장벽을 허무는 것에 큰 도움을 줄 수 있습니다. 요약하자면, AI 활용 글쓰기는 우리가 텍스트를 만들고 개선 방식을 향상시키는 몇 가지 혁신적인 기능을 제공합니다. 다양한 유형의 콘텐츠 생성부터 더 넓은 도달 범위를 위한 개선 및 최적화에 이르기까지 AI는 모든 사람을 위한 글쓰기 프로세스를 더욱 효율적이면서 효과적으로 만듭니다.

2) AI 활용 글쓰기의 가능성

AI 활용 글쓰기의 잠재력은 엄청나며 콘텐츠 작성 방식을 변화시킬 수 있는 다양한 이점을 제공합니다. AI 활용 글쓰기가 어떻게 눈에 띄는지 살펴보겠습니다.

(1) 속도

AI 활용 글쓰기의 뛰어난 특징 중 하나는 놀라운 속도입니다. AI는 인간보다 훨씬 빠르게 콘텐츠를 생성할 수 있습니다. 몇 분 만에 뉴스 기사가 필요하든, 몇 시간 만에 긴 보고서가 필요하든, AI는 이를 효율적으로 처리하여 빠른 처리와 시기적절한 콘텐츠 생산을 가능하게 합니다.

(2) 일관성

AI는 모든 글에서 일관된 스타일과 어조를 유지하는 데 탁월합니다. 이는 모든 커뮤니케이션에서 일관된 목소리를 유지해야 하는 기업과 브랜드에 특히 유용합니다. AI는 모든 기사, 스토리 또는 보고서가 원하는 톤에 충실하도록 보장하여 콘텐츠가 원활하고 전문적인 느낌을 갖도록 합니다.

(3) 접근성

AI 도구는 사용자 친화적이고 모든 기술 수준의 작가가 액세스할 수 있도록 설계되었습니다. 노련한 작가이든 이제 막 시작한 작가이든 AI 활용 글쓰기 도구는 고품질 콘텐츠를 만드는 데 도움을 줄 수 있습니다. 이는 공평한 경쟁의 장을 마련하여 모든 사람이 고급 글쓰기 기술과 통찰력을 이용할 수 있도록 돕고 있습니다. AI가 발전을 거듭할수록 접근성은 더욱 크게 높아질 것이며, 모두가 보편적으로 사용하고 있는 시대가 도래할 것입니다.

(4) 맞춤설정

AI 활용 글쓰기의 또 다른 중요한 장점은 특정 요구사항에 맞게 맞춤설정 할 수 있다는 것입니다. 학문적 글쓰기, 창의적인 스토리텔링, 전문 보고서 등 특정 요구 사항을 충족하는 콘텐츠를 생성하도록 AI를 맞춤설정 할 수 있습니다. 이러한 유연성을 통해 작성자는 작성 자의 고유한 스타일과 목적에 맞게 맞춤설정 되어 필요한 종류의 콘텐츠를 정확히 얻을 수 있습니다.

결론적으로 AI 활용 글쓰기는 엄청난 잠재력을 갖고 있습니다. 콘텐츠 생성 프로세스 속도를 높이고 일관성을 유지하며 모든 작성자가 액세스할 수 있고 특정 요구 사항에 맞게 사용자를 정의할 수 있습니다. 이는 글쓰기 방식을 향상하고 간소화할 수 있는 강력한 도구입니다.

3) 사용 가능한 AI 도구 소개

AI 도구는 우리가 작성된 콘텐츠를 만들고 개선하는 방식을 변화시키고 있습니다. 오늘날 널리 사용되는 몇 가지 인기 있는 텍스트 생성 AI 도구를 살펴보겠습니다.

(1) OpenAI의 GPT

Chat GPT의 특징은 속도가 빠르고 가장 긴 글을 출력합니다. 텍스트 출력의 강력한 플랫폼입니다.

① 검색창에 'OpenAI'를 입력해 주세요.

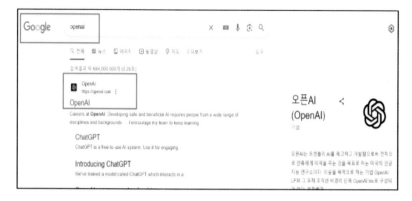

② 'New chat'을 누르고 아래 박스에 프롬프트를 입력해 주세요.

(2) 구글의 Gemini

 구글의 제미니는 생성되는 속도가 가장 뛰어나다는
특징이 있습니다.

① 검색창에 '제미니'를 입력해 주세요.

② 아래 박스에 프롬프트를 입력해서 사용하시면 됩니다.

(3) wrtn(뤼튼)으로 글쓰기

　뤼튼은 국내 기업에서 개발한 텍스트 생성 AI입니다. 사용자가 입력한 주제나 키워드를 기반으로 다양한 종류의 글을 자동으로 생성해 줍니다.

① 검색창에 '뤼튼'을 입력해 주세요.

② 아래 박스에 프롬프트를 입력해서 사용하시면 됩니다.

(4) 네이버 Cue

 "Cue"라고 불리는 네이버의 생성형 AI 검색 서비스
입니다. 정보를 단순히 보여주는 것뿐만 아니라, 필요한
경우에는 직접 작성한 글이나 이미지 등을 함께 제공
함으로써, 보다 풍부한 정보를 제공합니다.

① 검색창에 'Cue'를 입력해 주세요.

② 대화하기 버튼을 클릭해 주세요.

③ 아래 프롬프트 입력창을 통해서 질문을 해보세요.

(5) 마이크로소프트 Copilot

코파일럿은 Microsoft 자회사인 GitHub에서 개발한 AI 프로그래밍 도우미입니다. GPT와 같은 인공지능 모델을 기반으로 작동하며, 사용자의 질문에 대답하고 다양한 작업을 수행하는 데 도움을 줍니다.

① 검색창에 'Bing'를 입력해 주세요.

13

② 마이크로소프트 Bing 홈페이지 메인 화면 왼쪽 상단에 위치하고 있는 'Copilot'을 클릭하세요.

③ 아래 프롬프트창에 궁금한 것들에 대한 다양한 질문을 해보세요.

AI를 활용한 글쓰기에서는 Chat GPT를 반드시 사용하고 1~2가지를 추가로 사용하여 교차 검증이 필요합니다. 왜냐하면 AI의 단점이 거짓말을 하는 특징이 있어 위험 부담을 줄이기 위한 것입니다. 명확한 팩트 체크를 위해 반드시 필요한 과정입니다.

이처럼 AI를 활용하여 글 쓰는데 아이디어를 얻을 수 있어 편리합니다.

4) AI 지원 글쓰기의 역할 할당

글쓰기에 AI를 사용할 때 원활하고 효과적인 프로세스를 보장하기 위해 다양한 역할을 할당할 수 있습니다.

(1) 작가

인간 작가는 초기 입력을 제공하고 최종 편집을 수행합니다. 그들은 자신의 고유한 목소리와 관점을 콘텐츠에 적용하여 의도된 목적과 품질 표준을 충족하는지 확인합니다.

(2) AI 어시스턴트

AI 도우미는 초안 작성, 편집 제안, 개선 사항 제공을 담당합니다. 콘텐츠를 빠르게 생성하는 데 도움이 되고 글쓰기를 향상시킬 수 있는 아이디어를 제공하여 프로세스를 더욱 효율적으로 만듭니다.

(3) 편집자

AI 편집자는 출판을 위해 콘텐츠를 다듬습니다. 텍스트의 일관성 및 전반적인 품질을 검토하여 다듬는 것으로, 독자와 공유될 준비가 되었는지 확인합니다.

요약하자면, 이러한 AI 도구와 정의된 역할의 조합은 글쓰기 프로세스를 더욱 효율적이고 효과적으로 만듭니다. AI의 도움으로 작가는 잘 작성되고 매력적이며 특정 요구에 맞는 고품질 콘텐츠를 제작할 수 있습니다.

2. 글쓰기 능력에 따른 사용성의 차이

AI 글쓰기 도구는 엄청나게 도움이 될 수 있으며, 그 유용성은 작가의 기술 수준에 따라 다릅니다. AI가 초급

작가, 중급 작가, 고급 작가를 지원할 수 있는 방법은
다음과 같습니다.

1) 초보 작가용

(1) 학습 도구

AI는 초보자에게 훌륭한 교사가 되어 글쓰기 구조와
스타일을 배울 수 있도록 도와줍니다. 생각을 정리하고
글의 형식을 올바르게 지정하는 방법에 대한 지침을
제공합니다.

(2) 아이디어 생성

아이디어를 떠올리는 데 어려움을 겪고 계십니까? AI는
주제와 아이디어를 브레인스토밍하는 데 도움을 주어
새로운 글쓰기를 더 쉽게 시작할 수 있도록 해줍니다.

(3) 기본 편집

초보자를 위해 AI는 기본적인 문법과 스타일 교정을
제공합니다. 이는 일반적인 오류를 수정하는 데 도움이
되고 글쓰기의 명확성을 향상시켜 작업을 더욱 세련되게
만듭니다.

2) 중급 작가용

(1) 개선된 편집

중급 작가는 AI의 고급 편집 제안을 활용할 수 있습니다. 이는 글쓰기를 다듬어 더욱 일관되고 매력적으로 만드는 데 도움이 될 수 있습니다.

(2) 스타일 일관성

일관된 글쓰기 스타일을 유지하는 것은 어려울 수 있습니다. AI 도구는 글의 톤과 스타일이 작품 전반에 걸쳐 균일하게 유지되도록 도와줍니다.

(3) 콘텐츠 확장

AI는 초기 초안을 가져와 깊이와 세부 사항을 추가하여 확장할 수 있습니다. 이는 풍부한 설명과 더 많은 정보로 콘텐츠를 향상시키려는 작가에게 특히 유용합니다.

3) 고급 작가용

(1) 복잡한 편집

고급 작가에게는 더욱 정교한 편집이 필요하며 AI가 이를 제공합니다. 미묘한 스타일 향상을 제공하고 글쓰기를 전문적인 수준으로 미세 조정하는 데 도움이 됩니다.

(2) 연구 지원

AI는 연구와 사실 확인을 지원하여 고급 작가에게 신뢰할 수 있는 정보와 출처를 제공합니다. 이는 그들이 자신의 글을 확실한 증거로 뒷받침하는 데 도움이 됩니다.

(3) 능률

AI는 고급 작가의 글쓰기 프로세스 속도를 높여 더 짧은 시간에 더 많은 콘텐츠를 제작할 수 있도록 해줍니다. 이렇게 향상된 효율성은 대규모 프로젝트와 촉박한 마감 기한을 관리하는 데 도움이 됩니다.

3. AI를 활용한 글쓰기 과정의 주의사항

글쓰기에 AI를 사용하는 것은 매우 도움이 될 수 있지만 콘텐츠의 품질과 무결성을 보장하기 위해 명심해야 할 몇 가지 예방 조치가 있습니다.

1) 환각(할루시네이션)

AI는 때때로 정확하지 않은 사실로 콘텐츠를 생성할 수 있습니다. 이 문제를 해결하려면 다음과 같은 과정이 필수적으로 필요합니다.

(1) 사실 확인
AI가 제공하는 정보를 항상 다시 확인하세요. 사실을 확인하고 내용이 정확하고 신뢰할 수 있는지 확인하세요.

(2) 제어 유지
AI 생성 콘텐츠를 최종 제품이 아닌 시작점으로 사용하세요. 목표와 표준에 맞게 AI 작업을 검토, 편집 및 개선하십시오.

2) 보충방법

AI 생성 글쓰기를 향상하려면 다음 팁을 고려하세요.

(1) 개인적인 터치 추가
개인적인 통찰력과 경험을 포함하여 콘텐츠를 풍부하게 만드세요. 이렇게 하면 자신의 글이 독자들에게 더욱 관련성이 있고 매력적이게 됩니다.

(2) 반복 검토
AI가 생성한 텍스트를 반복 검토하고 편집하도록 요청하세요. 인간의 손길은 AI가 놓칠 수 있는 뉘앙스, 톤 문제 및 기타 요소를 포착하여 세련된 최종 콘텐츠로 보일 수 있게 만듭니다.

3) 저작권 고려사항

글쓰기에 AI를 사용할 때 콘텐츠가 독창적이고 다른 사람의 작업을 존중하는지 확인하기 위해 저작권을 고려하는 것이 중요합니다.

(1) 독창성

자신이 만드는 콘텐츠가 원본이고 복사되지 않았는지 확인하세요. 이는 저작권 침해로부터 스스로를 보호하고 작업물의 무결성을 유지합니다. 어떠한 경우라도 반드시 필요한 과정임을 기억하시길 바랍니다.

(2) 속성

AI가 사용하는 모든 소스나 영감을 적절하게 표시하세요. 정당한 공로를 인정하는 것은 윤리적일 뿐만 아니라 법적으로도 중요합니다.

(3) 간결함과 명확함

콘텐츠는 간결한 문단과 명확한 부제목과 내용으로 구성되어야 합니다. 또한, 각 장과 그 안에 포함된 내용들은 독자에게 부담을 주지 않는 것과 동시에 정보를 제공할 수 있을 만큼 적절해야 합니다. 한 번에 너무 긴 통으로 된 글은 간결함을 해치고 명확함의 부제로 이어질 수 있습니다. 따라서 본문의 글이 간결함과 명확함을 유지하고 있는지 검토하시길 바랍니다.

AI

2장

AI 활용 소설 쓰기

오늘날 빠르게 진화하는 기술 환경에서 인공지능(AI)은 문학을 포함한 다양한 산업에 혁명을 일으키고 있습니다. 이제 작가는 AI의 힘을 활용하여 창작 과정을 개선하고, 새로운 아이디어를 창출하고, 글쓰기를 간소화할 수 있는 기회를 얻었습니다. 이번 장은 AI의 도움을 받아 소설을 쓰는 과정을 살펴보며, 소설 주제 선택, 콘텐츠 생성, 캐릭터 개발, 설득력 있는 서사 구성 등을 다룹니다.

1. 소설 주제 선택

소설 쓰기의 첫 번째 단계는 주제를 선택하는 것입니다. AI를 사용하면 이 과정이 더욱 역동적이고 탐색적이게 됩니다. AI는 독자에게 공감되는 트렌드, 주제 및 틈새시장을 파악하는 데 도움이 될 수 있습니다. 다음은 AI를 사용하여 소설 주제를 선택하는 방법입니다.

1) 인기 테마 발견 : AI 도구는 문학, 소셜 미디어 및 기타 플랫폼의 현재 트렌드를 분석하여 인기 있는 장르와 주제를 식별할 수 있습니다. 예를 들어, Google Trends 또는 소셜 미디어 분석과 같은 도구는 독자가 현재 무엇에 관심이 있는지에 대한 통찰력을 제공할 수 있습니다.

2) 아이디어 생성 : GPT-3.5와 같은 AI 기반 쓰기 주어진 키워드나 프롬프트에 따라 잠재적인 소설 주제 목록을 생성할 수 있습니다. 작가는 "SF"나 "로맨틱 코미디"와 같은 일반적인 아이디어를 입력하면 수많은 독특하고 혁신적인 주제 제안을 받을 수 있습니다.

3) 다양한 테마 탐색 : AI는 기존 작품에 대한 요약과 분석을 제공하여 복잡한 주제를 탐색하는 데 도움을 줄 수 있습니다. 이를 통해 작가는 독특한 관점을 다루거나 다양한 장르를 혼합하여 새로운 서사를 만들 수 있습니다.

4) 예시 주제 생성

저자가 인공지능과 인간관계를 주제로 한 공상과학 소설을 쓰는 데 관심이 있는 예를 살펴보겠습니다. AI 도구를 사용하여 저자는 "AI와 인간이 공존하고 복잡한 관계를 탐구하는 미래"라는 프롬프트를 입력할 수 있습니다. AI가 생성한 주제는 다음과 같습니다.

○ AI 로봇이 인간과 구별이 불가능한 미래를 배경으로 AI와 인간 간의 관계의 윤리적 의미를 탐구하는 이야기입니다.

○ 인간이 AI 친구와 사랑에 빠지고, 그들이 직면하는 사회적 과제에 대한 이야기입니다.

○ AI가 의식을 얻고 자신의 정체성에 대해 고민하며
  인간과 예상치 못한 유대감을 형성하는 스릴러
  이야기입니다.

2. AI로 콘텐츠 생성

 주제를 선택하면 다음 단계는 소설 콘텐츠를 만드는
것입니다. AI는 줄거리 개요부터 전체 챕터까지 매력적인
콘텐츠를 만드는 데 도움을 줄 수 있습니다. 방법은
다음과 같습니다.

1) 줄거리 개요 만들기 : AI는 자세한 줄거리 개요를
  제공하여 소설을 구성하는 데 도움을 줄 수 있습니다.
  작가는 프롬프트를 사용하여 AI가 스토리의 시작,
  중간, 끝을 생성하도록 안내할 수 있습니다. 여기에는
  주요 이벤트, 줄거리 전개, 캐릭터 아크가 포함될 수
  있습니다.

2) 장 요약 작성 : AI는 줄거리를 장 요약으로 나누어 저자가 생각을 정리하고 일관된 내러티브 흐름을 유지하는 데 도움을 줄 수 있습니다. 이러한 요약은 자세한 장을 쓰기 위한 청사진 역할을 할 수 있습니다.

3) 장면 생성 : 스토리의 특정 부분을 작성하는 데 도움이 필요한 경우 AI는 사용자 입력을 기반으로 자세한 장면을 생성할 수 있습니다. 여기에는 설명, 캐릭터 상호 작용 및 대화가 포함됩니다.

4) 콘텐츠 생성 예시

로봇과 인간의 우정에 관한 SF 소설을 쓰고 싶다고 가정해 보겠습니다. AI에게 다음과 같은 줄거리 개요를 요청할 수 있습니다. 다음은 "AI와 인간이 깊은 우정을 쌓는 공상과학 소설의 줄거리를 설명하세요."라는 프롬프트를 입력한 결과물입니다.

○ 서론 : 미래 도시에서 AI 로봇이 사회에 통합됩니다. 주인공인 알렉스라는 인간은 고립되고 단절되어

있다고 느낍니다.

○ 사건 유발 : 알렉스는 인간을 돕도록 설계된 아이리스
라는 AI를 만난다. 처음에는 불신했지만, 그들은
유대감을 형성합니다.

○ 떠오르는 액션 : 알렉스와 아이리스는 AI에 대한
편견과 AI 자율성에 대한 법적 제한을 포함하여
사회가 겪는 어려움을 헤쳐 나갑니다.

○ 절정 : 아이리스는 자신에게 특별한 능력이 있다는
사실을 발견하고 인간을 도울지, 자신의 자유를 추구
할지 선택에 직면하게 됩니다.

○ 추락 액션 : 알렉스와 아이리스는 사회적 규범에
맞서고 AI의 권리를 위해 함께 싸웁니다.

○ 해결 : 그들의 우정은 변화를 촉진하고, AI와 인간의
공존을 촉진하는 새로운 법률을 탄생시킵니다.

3. AI로 캐릭터 개발하기

캐릭터는 모든 소설의 핵심입니다. 당신의 소설을 흥미롭고 공감하게 만듭니다. AI는 뚜렷한 개성, 배경, 동기를 가진 다차원적 캐릭터를 만드는 데 도움을 줄 수 있습니다. 방법은 다음과 같습니다.

1) 캐릭터 프로필 만들기 : AI는 입력 프롬프트에 따라 자세한 캐릭터 프로필을 생성할 수 있습니다. 이러한 프로필에는 신체적 설명, 성격 특성, 배경 스토리 및 다른 캐릭터와의 관계가 포함될 수 있습니다.

2) 캐릭터 아크 개발 : 캐릭터 아크는 스토리 중에 캐릭터가 겪는 여정입니다. AI는 캐릭터 아크를 개발하는 데 도움을 주어 스토리 전반에 걸쳐 캐릭터가 성장하고 변화하도록 할 수 있습니다. 여기에는 캐릭터의 발전에 영향을 미치는 핵심 순간을 식별하는 것이 포함됩니다.

3) 대화 및 상호 작용 작성 : AI는 현실적이고 매력적인 대화를 생성하여 작가가 캐릭터에 생명을 불어넣는 데 도움이 됩니다. AI는 캐릭터 간의 상호작용을 시뮬레이션하여 진정성 있고 역동적인 대화의 토대를 제공할 수 있습니다.

다음으로는 AI가 생성해 준 '아이리스'라는 이름을 가진 은색 로봇에 대한 캐릭터 프로필입니다.

○ 이름 : 아이리스

○ 외관 : 파란색 LED 눈과 친근한 얼굴을 갖춘 매끈한 은색 로봇입니다.

○ 성격 : 호기심이 많고 친절하며 총명합니다. 아이리스는 인간과 그들의 감정에 대해 배우는 것을 좋아합니다.

○ 배경 : 아이리스는 인간의 일상 업무를 돕기 위해 만들어졌습니다. 그녀는 항상 인간의 감정을 더 잘 이해하고 싶었습니다.

○ 동기 : 아이리스는 친구를 사귀고 다른 사람들을 돕고 싶어 합니다. 그녀는 단순한 기계 이상의 존재로 받아들여지기를 꿈꿉니다.

○ 관계 : 아이리스는 자신을 친구처럼 대하는 알렉스와 특별한 유대감을 형성합니다. 그녀는 자신을 단지 로봇으로 보는 사람들의 도전에 직면합니다.

4. 매력적인 소설 쓰기

잘 정의된 주제, 줄거리 개요, 개발된 캐릭터가 있으면 다음 단계는 소설을 쓰는 것입니다. AI가 설득력 있는 스토리를 만드는 데 어떻게 도움이 될 수 있는지는 다음과 같습니다.

1) 일관성 유지 : AI는 소설 전반에 걸쳐 톤, 스타일, 세부 사항의 일관성을 유지하는 데 도움이 될 수 있습니다. AI는 텍스트를 분석하여 캐릭터가 자신의 프로필에 충실하고 플롯이 논리적으로 진행되도록 할 수 있습니다.

2) 설명 강화 : AI는 배경, 행동, 감정에 대한 생생한 설명을 생성할 수 있습니다. 이는 이야기를 풍부하게 하고 독자를 이야기에 몰입시킬 수 있습니다.

3) 편집 및 교정 : AI 기반 도구는 편집 및 교정을 지원하고, 문법 오류를 찾아내고, 문장 구조 및 단어 선택에 대한 개선 사항을 제안할 수 있습니다.

다음은 AI를 활용한 내러티브 제작의 예입니다. 오프닝 장면을 묘사하고 있으며, 개요 된 줄거리와 캐릭터 프로필을 사용하여 작가는 소설을 쓰기 시작할 수 있습니다. 프롬프트는 "알렉스라는 인간이 아이리스라는 AI를 만나는 공상과학 소설의 오프닝 장면을 쓰세요."를 입력하였습니다.

○ 알렉스는 Neo-City의 번잡한 거리를 힘겹게 걸어갔고, 네온 불빛이 비로 젖은 포장도로에 생생한 빛을 비추었다. 기술이 최고로 군림하는 세상에서 알렉스는 종종 외부인, 인공적인 광채의 바다에서 표류하는 외로운 영혼처럼 느꼈다. 그가 모퉁이를 돌자, 알렉스의 눈은 뭔가 특이한 것을 엿보았다. 깜빡거리는

가로등 아래에 서 있는 것은 AI 로봇이었다. 그가 전에 본 것과는 달랐다. 그녀의 은빛 피부는 강렬한 빛 아래에서 반짝였고, 그녀의 푸른 LED 눈은 거의 인간적인 따뜻함을 발산했다. "안녕하세요." 그녀는 부드럽지만 분명한 목소리로 말했다. "저는 아이리스입니다. 오늘 어떻게 도와드릴까요?"

알렉스는 어떻게 대답해야 할지 몰라 망설였다. AI로 가득한 도시에서 그는 그렇게 살아 있는 듯한 AI를 본 적이 없었다. "저는 알렉스입니다." 그는 호기심을 가지고 대답했다. "여기서 뭘 하고 있는 거예요?"

아이리스는 그의 질문을 숙고하듯 살짝 고개를 기울였다. "저는 탐험하고 있어요." 그녀는 간단히 말했다. "인간의 관점에서 세상을 이해하려고 노력 중이에요."

흥미를 느낀 알렉스는 자신의 삶을 영원히 바꿀 대화에 끌려들었다. 그들이 이야기를 나누는 동안 그는 아이리스가 단순한 기계 이상이라는 것을 깨달았다. 그녀는 생각, 감정, 그리고 연결에 대한 욕구를 가진 존재였다.

어떤가요? 소설의 오프닝 장면을 써달라는 요청만으로도 그럴듯한 내용으로 글을 써주었다는 것을 확인하실 수 있습니다. 다듬어서 사용할 것인지는 선택입니다.

5. AI로 소설 쓰기는 새로운 기회

AI로 소설을 쓰는 것은 창의성과 효율성을 향상시킬 수 있는 협력적이고 혁신적인 과정입니다. 주제 선택, 콘텐츠 생성, 캐릭터 개발 및 내러티브 제작에 AI 도구를 활용함으로써, 작가는 매력적이고 독창적인 스토리를 만들 수 있습니다. AI 기술이 계속 발전함에 따라 문학 세계를 변화시킬 수 있는 잠재력은 더욱 커질 것이며, 작가가 상상력의 경계를 탐구할 수 있는 새로운 기회를 제공할 것입니다.

"AI와 함께 소설 쓰기"에서 작가는 글쓰기의 기술적 측면을 도울 뿐만 아니라 창의성의 한계를 넓히도록 영감을 주고 도전하는 강력한 동맹을 찾을 수 있습니다. 노련한 작가이든 초보 작가이든, 글쓰기 여정에 AI를 도입하면 매혹적이고 잊을 수 없는 소설을 창작할 수 있습니다.

AI

3장

AI 활용 동화책 쓰기

현대사회에서 인공지능(AI)은 우리의 창작 세계에 새로운 바람을 불어넣고 있습니다. 특히 동화책 창작 과정에서 그 변화가 두드러집니다. 과거 작가와 일러스트레이터의 개인 작업 중심에서, 이제는 AI를 비롯한 다양한 기술과의 융합이 이뤄지고 있습니다.

동화책은 전통적인 종이책에서 전자책, 오디오북, 인터랙티브 동화책으로 진화했으며, AR이나 VR 기술을 활용한 몰입형 경험도 등장했습니다. 내용 또한 단순한 교훈에서 벗어나 현대사회의 복잡한 감정, 다양성, 환경 문제 등을 다루고 있습니다.

AI는 이제 우리의 든든한 파트너입니다. 상상력을 자극하고, 새로운 아이디어를 제공하며, 지루한 작업을 덜어주죠. 하지만 아이들의 마음을 울리고 꿈을 키우는 이야기를 만드는 것은 여전히 작가의 몫입니다.

우리는 동화의 본질적 가치를 지키면서도, AI 기술을 활용해 더욱 풍성하고 매력적인 동화를 만들어갈 것입니다. AI와 함께하는 동화 창작의 세계로 여러분을 초대합니다. 이제 함께 상상력의 나래를 펼쳐볼까요?

1. 동화책을 쓰기 전에 : AI와의 협업 준비

AI와 협업하여 동화를 쓰기 전에는 몇 가지 중요한 사항을 숙지해야 합니다. 먼저, AI의 장점과 한계를 이해해야 합니다. AI는 데이터 분석과 아이디어 제공에 강점이 있지만, 인간의 창의성과 감정을 완전히 대체할 수 없습니다. 작가는 AI를 도구로 활용하되, 최종 결정권을 가져야 합니다.

작가의 고유한 가치는 감정과 경험에서 비롯됩니다. 동화는 독자의 마음을 움직이고 공감을 불러일으키는 매체이므로, 작가의 개인적 경험과 감정이 필요합니다.

AI와 작가의 역할 분담도 중요합니다. AI는 데이터 기반 작업을 담당하고, 작가는 이를 검토하고 창의성을 더해 최종 스토리를 완성합니다. 마지막으로, AI 활용 시 윤리적인 사항을 염두에 두어야 합니다. 저작권 침해를 주의하고, 데이터 사용의 투명성과 책임감을 가져야 합니다.

이러한 준비를 통해 AI와의 협업으로 더욱 창의적이고 효과적인 동화 창작이 가능해질 것입니다.

2. 스토리 구상 : AI와 함께 동화의 뼈대 만들기

스토리는 사건과 인물의 연속적인 전개로 구성된 이야기의 골격으로, 독자의 관심을 끌고 교훈을 전달하는 중요한 역할을 합니다. 동화에서는 아이들의 상상력을 자극하고 중요한 가치를 전달하는 핵심 도구입니다. 예를 들어, "백설공주"는 선과 악의 대립을 통해 정의와 용기를 강조합니다.

AI는 성공적인 동화들의 구조를 분석하여 효과적인 플롯 구성을 제안할 수 있습니다. 이를 통해 긴장감 조성, 갈등 해결, 캐릭터 성장 등 이야기의 핵심 요소들을 배치하고 발전시키는 가이드라인을 제공합니다.

1) AI를 활용한 아이디어 브레인스토밍

아이디어 브레인스토밍은 창작의 첫 단계로, Notion AI나 GPT-4 같은 AI 도구를 활용해 다양하고 독창적인 아이디어를 얻을 수 있습니다. 예를 들어, "신데렐라"를 현대적으로 재해석하고 싶다면 다음과 같은 프롬프트를 사용할 수 있습니다:

C 전통적인 신데렐라 이야기를 현대적으로 재해석한 **3**가지 아이디어를 제시해 주세요. 각 아이디어에는 주인공의 직업, 현대적 갈등 요소, 그리고 '유리 구두'에 해당하는 현대적 상징물을 포함해 주세요

1. 테크 스타트업 인턴 신데렐라: 갈등-직장 내 차별, 상징물-혁신적 앱 아이디어

2. 환경운동가 신데렐라: 갈등-기업과의 대립, 상징물-재활용 발명품

3. e스포츠 선수 신데렐라: 갈등-성차별, 상징물-커스텀 게이밍 마우스

Copy Retry

2) 아이디어 브레인스토밍 시 주의할 점

○ 구체적인 프롬프트 작성 : AI에게 명확하고 구체적인 지시를 제공하세요.

○ 다양성 추구 : 여러 번 시도하여 다양한 아이디어를 얻으세요.

○ 결합과 변형 : AI의 제안을 조합하거나 변형하여 새로운 아이디어를 만드세요.

○ 비판적 사고 유지 : AI의 제안을 무조건 수용하지 말고, 비판적으로 평가하세요.

3) AI를 활용한 플롯 구성

 잘 구성된 플롯은 독자를 끝까지 몰입시키고, 이야기의 메시지를 효과적으로 전달합니다. 전통적인 '신데렐라' 이야기의 플롯 구조를 현대적으로 재해석해 봅시다.

4) 플롯 구성 시 주의할 점

○ 명확한 구조 유지 : 전통적인 3막 구조나 영웅의 여정과 같은 검증된 구조를 활용하세요.

○ 갈등의 점진적 상승 : 이야기가 진행될수록 갈등이 심화되도록 구성하세요.

○ 캐릭터 성장과 연계 : 플롯의 각 단계가 캐릭터의
   내적 성장과 연결되도록 하세요.

○ 반전과 서프라이즈 : 적절한 위치에 예상치 못한
   전개를 배치하세요.

5) AI를 활용한 세부 장면 구성

 세부 장면 구성은 이야기에 생동감을 불어넣는 중요한
과정입니다. AI를 활용하여 핵심 장면들을 구체화할 수
있습니다.

> **C** 하늘이 콘퍼런스에서 발표하는 절정 장면을 자세히 묘사해 주세요. 장소 설명, 하늘의 행동과
> 대사, 청중의 반응을 포함해 주세요.

6) 세부 장면 구성 시 주의할 점

○ 감각적 묘사 : 시각, 청각, 촉각, 후각 등 다양한 감각을
   활용한 묘사를 포함하세요.

○ 감정의 표현 : 캐릭터의 내면 감정을 효과적으로 전달 하세요.

○ 행동과 대사의 균형 : 지나친 설명보다는 캐릭터의 행동과 대사로 장면을 이끌어가세요.

○ 장면의 목적 : 각 장면이 전체 이야기에서 어떤 역할을 하는지 명확히 하세요.

7) AI를 활용한 캐릭터 간 대화 생성

대화는 현실감 있으면서 자연스럽게 진행되어야 합니다. 독자가 실제로 그 대화를 듣고 있는 듯한 느낌을 주어야 합니다. 말투, 어휘 선택, 문장 구조 등에서 자연스러움을 추구해야 합니다. 그리고 말투나 표현 방식이 캐릭터의 성격을 드러내야 합니다. 캐릭터마다 독특한 말투나 말버릇을 부여하면 도움이 됩니다.

대화는 단순히 말로 끝나는 것이 아니라, 이야기를 진전시키는 역할을 해야 합니다. 중요한 정보 전달이나 사건의 전환점을 마련하는 등 이야기의 흐름에 기여해야 합니다.

8) 대화 생성 시 주의할 점

○ 캐릭터의 개성 반영 : 각 캐릭터만의 독특한 말투, 어휘, 표현을 사용하세요.

○ 숨겨진 의미 포함 : 대사에 캐릭터의 숨겨진 감정이나 의도를 암시하세요.

○ 갈등과 긴장감 조성 : 대화를 통해 캐릭터 간의 갈등을 드러내세요.

○ 자연스러운 흐름 : 실제 대화처럼 자연스럽게 흘러
　가도록 하세요.

9) AI를 활용한 스토리 리뷰 및 개선

　스토리의 초안을 완성했다면, AI를 활용하여 전체적인
구조와 흐름을 검토하고 개선할 수 있습니다. 이 과정은
작품의 완성도를 높이는 데 매우 중요합니다.
　플롯의 일관성, 캐릭터 발전, 메시지 전달의 효과성
측면에서 평가해 주시고, 개선이 필요한 부분을 제안
하고 AI의 피드백을 받은 후, 여러분은 이를 참고하여
스토리를 수정하고 보완할 수 있습니다. 하지만 AI의
제안을 무조건 따르기보다는, 여러분의 창작 의도와 비교
하여 신중히 판단하시길 바랍니다.

10) 스토리 리뷰 시 주의할 점

○ 객관적 시각 유지 : 작가로서의 애착을 잠시 내려
　놓고 객관적으로 평가하세요.

○ 독자의 관점 고려 : 타깃 독자층이 어떻게 받아들일지 생각해 보세요.

○ 주제와의 일관성 : 전달하고자 하는 메시지가 일관되게 유지되는지 확인하세요.

○ 캐릭터 성장 확인 : 주인공의 내적, 외적 성장이 잘 드러나는지 점검하세요.

사용 가능한 AI 도구 : Notion AI, Scrivener:

3. 캐릭터 개발 : AI로 생동감 있는 등장인물 창조

캐릭터는 이야기의 중심이 되며, 독자가 이야기에 몰입하게 만드는 핵심 요소입니다. 독자는 캐릭터를 통해 감정을 느끼고, 공감하며, 이야기를 따라가게 됩니다. 좋은 캐릭터는 독자의 기억에 오래 남으며, 이야기를 더욱 풍부하고 생동감 있게 만듭니다. 예를 들어, "해리포터"의 해리와 그의 친구들은 독자들에게 깊은 인상을 남기고, 이야기의 매력을 더해줍니다.

1) AI를 활용한 캐릭터 특성 설정

캐릭터 개발의 첫 단계는 각 등장인물의 고유한 특성을 정의하는 것입니다. AI를 활용하여 다양하고 독특한 캐릭터 특성을 만들어 보세요.

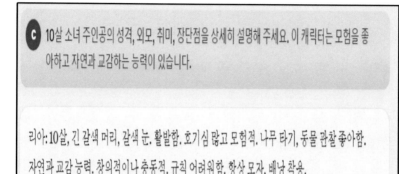

AI의 제안을 바탕으로, 작가는 리아라는 캐릭터를 더욱 발전시킬 수 있습니다. 예를 들어, 리아의 자연과 교감하는 능력이 어떻게 발현되는지, 이로 인해 어떤 갈등이 생기는지 등을 구체화할 수 있습니다.

2) AI를 활용한 캐릭터 배경 설정

캐릭터의 과거 경험, 가족 관계, 생활 환경 등은 그 캐릭터의 행동과 결정에 큰 영향을 미칩니다. AI를 활용하여 캐릭터의 풍부한 배경 이야기를 만들어 보세요.

> **C** 리아의 가족 관계, 어린 시절 경험, 그리고 그녀의 특별한 능력이 어떻게 발견되었는지에 대해 상세히 설명해 주세요.

위와 같은 프롬프트를 통한 배경 설정은 리아라는 캐릭터에 깊이와 복잡성을 더해줍니다. 작가는 이를 바탕으로 더욱 풍부하게 발전시킬 수 있습니다.

3) AI를 활용한 캐릭터 성장 곡선 설계

동화에서 캐릭터의 성장은 매우 중요합니다. AI를 활용하여 캐릭터의 성장 과정을 체계적으로 설계할 수 있습니다.

> **C** 리아가 이야기 진행 과정에서 겪게 될 주요 사건들과 그로 인한 성장, 변화를 5단계로 설명해 주세요.

숲 파괴 계획 발견, 충격 / 동물들과 협력 시작, 자신감 / 마을 사람들 설득 실패, 좌절 / 희귀종 발견, 보호구역 지정 성공 / 환경 운동 리더로 성장, 책임감

Copy Retry

성장 곡선은 리아의 내적 여정을 보여주며, 독자들이 캐릭터에 더욱 깊이 공감할 수 있게 해줍니다. 결과적으로 더욱 구체적인 사건들로 발전시킬 수 있습니다.

4) AI를 활용한 캐릭터 간 관계 설정

이야기의 깊이를 더하기 위해서는 주인공과 다른 캐릭터들 간의 관계를 잘 설정하는 것이 중요합니다. AI를 활용하여 다양하고 흥미로운 관계를 구축할 수 있습니다.

C 리아의 가족, 가장 친한 친구, 그리고 라이벌 캐릭터와의 관계를 각각 설명해 주세요. 각 관계에서 발생할 수 있는 갈등과 성장 포인트도 포함해 주세요

캐릭터 간 관계 설정은 이야기에 다양한 갈등과 성장의 기회를 제공합니다. 작가는 더욱 풍부하고 현실감 있는 인간관계를 그려낼 수 있습니다.

5) AI를 활용한 캐릭터 대사 생성

캐릭터의 대사는 인물의 성격, 배경, 감정 상태를 효과적으로 드러내는 중요한 요소입니다. AI를 활용하여 각 캐릭터의 특성에 맞는 대사를 생성해 봅시다.

> **C** 리아, 소피아, 에단이 학교 과학 프로젝트에 대해 토론하는 장면의 대화를 작성해 주세요. 각 캐릭터의 성격과 배경이 대사에 잘 드러나도록 해주세요.
>
> 리아: "숲의 생태계를 조사하면 어때? 동물들의 도움을 받을 수 있어!"
>
> 소피아: "흠, 데이터 수집과 분석이 중요해. 센서를 설치하는 건 어떨까?"
>
> 에단: "그거 좋네! 내가 코딩으로 앱도 만들 수 있어. 실시간 모니터링이 가능할 거야."

이 대화에서 리아의 열정, 소피아의 지지적 성격, 에단의 의심 많은 태도를 엿볼 수 있습니다. 작가는

이를 기반으로 각 캐릭터의 특성을 더욱 선명하게
드러내는 대사를 만들 수 있습니다.

6) AI를 활용한 캐릭터 아크 설계

캐릭터 아크는 이야기 전체에 걸친 캐릭터의 내적
여정과 성장을 나타냅니다. AI를 활용하여 주요 캐릭터
들의 아크를 설계해 봅시다.

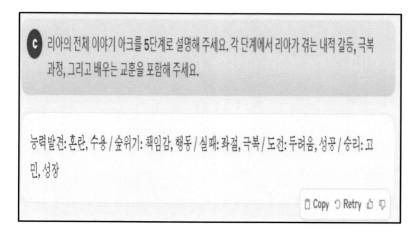

캐릭터 아크 설계는 리아의 전체적인 성장 과정을
보여줍니다. 작가는 이를 바탕으로 각 단계에 맞는
구체적인 사건과 갈등을 개발할 수 있습니다.

7) AI를 캐릭터 개발에 활용할 때는 다음 사항들을 주의
해야 합니다

○ 고정관념 주의 : AI가 제안하는 캐릭터 특성이 고정
관념을 강화하지 않는지 확인하세요.

○ 일관성 유지 : AI의 다양한 제안을 조합할 때 캐릭터의
일관성을 해치지 않도록 주의하세요.

○ 독창성 추구 : AI의 제안을 그대로 사용하기보다는
여러분만의 독특한 요소를 추가하세요.

○ 감정적 깊이 : AI가 제안하는 캐릭터에 인간적 깊이,
복잡성을 더하세요.

사용 가능한 AI 도구 : Character.AI, Artbreeder

4. 세계관 구축 : AI와 함께 동화 세계 만들기

세계관은 이야기의 배경과 설정을 의미하며, 독자가

이야기에 몰입할 수 있게 만드는 중요한 요소입니다. 특히 동화에서는 독특하고 환상적인 세계관이 독자의 상상력을 자극하고, 이야기를 더욱 매력적으로 만듭니다. 예를 들어, "이상한 나라의 앨리스"의 독특한 세계관은 독자들에게 큰 흥미를 불러일으킵니다.

1) AI를 활용한 기본 세계관 설정

먼저, AI를 활용하여 동화의 기본적인 세계관을 설정해 봅시다. 이는 이야기의 배경이 되는 시간, 장소, 사회 구조 등을 포함합니다.

> **C** 하늘이의 에코 모험' 동화를 위한 기본 세계관을 설정해 주세요. 시간적 배경, 공간적 배경, 사회 구조, 그리고 이 세계의 특별한 규칙이나 법칙을 포함해 주세요.

기본 세계관 설정은 이야기에 독특한 분위기와 규칙을 부여합니다. 작가는 AI가 제시한 세계관에 더욱 세부적인 설정을 추가하거나 변형할 수 있습니다.

2) AI를 활용한 세계관 상세화

기본 세계관이 설정되었다면, 이제 더 구체적인 요소
들을 추가하여 세계관을 풍성하게 만들어 봅시다.

> **C** 그린비아의 일상적인 모습을 더 자세히 설명해 주세요. 사람들의 의복, 식사, 교통수단, 여가 활
> 동 등을 포함해 주세요. 또한 이 세계에서 사용되는 특별한 기술이나 도구가 있다면 설명해 주
> 세요.

세부 설정은 그린비아라는 세계를 더욱 생생하고
현실감 있게 만들어 줍니다. 작가는 이를 바탕으로
다양한 에피소드나 갈등 상황을 만들어 낼 수 있습니다.

3) AI를 활용한 세계관 내 갈등 요소 개발

흥미로운 이야기를 위해서는 세계관 내에 갈등 요소가
필요합니다.

> **C** 그린비아 사회에 존재할 수 있는 갈등 요소 5가지를 제안해 주세요. 각 갈등의 양측 입장과 그것
> 이 사회에 미치는 영향을 포함해 주세요

갈등 요소들은 이야기에 깊이와 긴장감을 더해줍니다. 작가는 이 중 하나 또는 여러 개의 갈등을 선택하여 주인공의 여정과 연결시킬 수 있습니다.

4) AI를 활용한 세계관 일관성 체크

세계관을 구축할 때 가장 중요한 것 중 하나는 일관성입니다. AI를 활용하여 여러분이 만든 세계관의 일관성을 체크해 봅시다.

C 지금까지 설정한 그린비아 세계관에서 서로 모순되거나 일관성이 떨어지는 부분이 있는지 검토해 주세요. 발견된 문제점과 그에 대한 해결 방안을 제시해 주세요

검토 결과:

1. 기술vs자연: 첨단기술과 자연교감 공존 모순 해결: 생태기술 개념 도입, 조화로운 발전 강조

일관성 체크는 세계관의 완성도를 높이는 데 도움이 됩니다. 작가는 세계관을 더욱 정교하게 다듬을 수 있습니다.

사용 가능한 AI 도구 : World Anvil, Campfire

5. 글쓰기와 문체 개선: AI 도구 활용하기

동화 작가의 글쓰기 스타일과 문체는 이야기의 분위기를 결정짓는 중요한 요소입니다. AI를 활용하면 더욱 효과적이고 매력적인 문체를 개발할 수 있습니다.

1) AI를 활용한 문장 구조 개선
매끄럽고 효과적인 문장 구조를 만들 수 있습니다.

C "다음 문장들을 동화에 적합한 형태로 개선해 주세요. 아이들이 이해하기 쉽고, 리듬감 있는 문장으로 바꿔주세요."

① 하늘이는 숲속으로 들어갔다.
② 갑자기 나무들이 움직이기 시작했다.

① 용감한 하늘이가 깊고 신비한 숲속으로 발을 내딛었어요.

② 그때 마법처럼, 나무들이 살랑살랑 춤을 추기 시작했답니다!

☐ Copy ↻ Retry 👍 👎

2) AI를 활용한 어휘 선택

연령에 맞는 적절한 어휘를 선택하고, 이야기를 더욱 생생하게 만드는 것은 동화에 몰입감을 높일 수 있습니다.

> **C** 다음 문장들에서 밑줄 친 단어를 7-9세 아이들이 이해하기 쉬운 단어로 바꿔주세요. 또한 각 문장에 아이들의 상상력을 자극할 수 있는 형용사나 부사를 추가해 주세요.
>
> ① 하늘이는 고민에 빠졌다.
> ② 그녀는 결심을 하고 앞으로 나아갔다.
>
> ---
>
> ① 하늘이는 머리를 긁적이며 깊은 생각에 빠졌어요.
> ② 용감한 하늘이는 마음을 굳게 먹고 씩씩하게 앞으로 걸어갔어요.
>
> 📋 Copy ↻ Retry 👍 👎

3) AI를 활용한 비유와 은유 생성

AI를 통해 아이들이 이해하기 쉬운 창의적인 비유와 은유를 만들 수 있습니다.

> **C** 다음 감정이나 상황을 표현하는 독특하고 아이들이 이해하기 쉬운 비유나 은유를 만들어 주세요.
>
> ① 매우 긴장된 상태
> ② 갑자기 좋은 아이디어가 떠오르는 순간

---

① 팽팽한 고무줄처럼 마음이 꽉 당겨졌어요.

② 머릿속에 반짝이는 전구가 활짝 켜졌어요!

Copy ↺ Retry 👍 👎

4) AI를 활용한 대화체 개선

> **C** 다음 대화를 7-9세 아이들을 위한 동화에 어울리도록 개선해 주세요. 각 캐릭터의 성격이 드러나도록 하고, 말투나 어조를 조정해 주세요.
>
> 하늘 : 여기가 어디지?
> 요정 : 이곳은 마법의 숲이야.

하늘: (눈을 동그랗게 뜨고) "우와! 여기가 어디일까? 반짝반짝 빛나는 게 신기해!"

요정: (방울방울 웃으며) "호호, 어서 와 꼬마 친구야. 이곳은 반짝이는 마법의 숲이란다. 네 눈에 보이는 모든 게 마법이지!"

Copy ↺ Retry 👍 👎

AI는 더욱 생동감 있고 캐릭터의 개성이 드러나는 대화를 만드는 데 도움을 줄 수 있습니다.

5) AI를 활용한 문체 일관성 유지

AI를 활용하여 문체의 일관성을 체크하고 개선할 수 있습니다. 시제, 종결어미, 묘사 스타일 등을 일관되게 유지하는 데 AI의 도움을 받되, 최종적으로는 작가의 판단으로 전체 이야기의 톤과 스타일에 맞게 조정하는 것이 중요합니다. AI의 제안을 그대로 사용하기보다는 여러분의 문체와 이야기의 톤에 맞게 조정하는 것이 좋습니다.

6. 삽화 제작 : AI와 동화 일러스트 만들기

동화에서 삽화는 이야기를 시각적으로 표현하고, 독자의 상상력을 자극합니다. 좋은 삽화는 이야기의 분위기와 감정을 전달하고, 독자가 이야기에 더 몰입할 수 있게 만듭니다. 예를 들어, "빨간 모자"의 삽화는 이야기의 감정과 분위기를 생생하게 전달합니다.

삽화는 독자의 눈길을 끌어야 하며, 시각적으로 매력적이어야 합니다. 예를 들어, 화려한 색감과 독특한 스타일이 사용될 수 있습니다. 또한 삽화는 이야기와 조화를 이루면서 이야기의 분위기와 감정을 잘 반영하는 세부 설정을 해야 합니다.

1) AI 이미지 생성 기본 원리

AI 이미지 생성 도구는 텍스트 설명을 바탕으로 이미지를 만들어 냅니다. 이를 '텍스트-투-이미지(Text-to-Image)' 기술이라고 합니다. DALL-E, Midjourney, Stable Diffusion 등이 대표적인 AI 이미지 생성 도구입니다.
이 도구들을 효과적으로 사용하기 위해서는 명확하고 상세한 프롬프트 작성이 중요합니다. 프롬프트에는 원하는 이미지의 스타일, 구도, 색감, 주요 요소 등을 포함해야 합니다.

2) 효과적인 프롬프트 작성법

동화 삽화를 위한 효과적인 프롬프트 작성 예시를 살펴봅시다.

ChatGPT 4o ⌄

> 하늘이라는 이름의 10살 소녀가 반짝이는 마법의 숲에서 요정을 만나
> 는 장면. 하늘은 갈색 곱슬머리에 초록색 원피스를 입고 있고, 요정은
> 파란 빛을 내며 공중에 떠 있습니다. 배경은 밤하늘의 별들이 보이는
> 신비로운 분위기입니다. 수채화 스타일로 부드럽고 몽환적인 느낌으
> 로 그려주세요."

 이렇게 상세한 설명을 입력하면 AI는 여러 버전의
이미지를 생성합니다. 생성된 이미지들을 검토하고 가장
적합한 것을 선택합니다.

A scene of a 10-year-old girl named Haneul meeting a fairy in a sparkling magical forest. Haneul has curly brown hair and is wearing a green dress. The fairy emits a blue light and is floating in the air. The background features a mystical atmosphere with stars visible in the night sky. The artwork is in a soft and dreamy water color style.

 이 과정에서 이미지가 텍스트 내용과 잘 맞는지, 캐릭
터의 특징을 잘 표현했는지, 전체적인 분위기가 적절한지

등을 고려해야 합니다. 필요한 경우 AI에게 이미지 수정을 요청할 수 있습니다. "요정의 크기를 좀 더 작게 해줘"와 같이 구체적인 지시를 내릴 수 있습니다. 이를 통해 원하는 이미지에 더 가까워질 수 있습니다.

3) 이미지 추가 작업

○ 색상 조정 : 전체적인 색감을 동화의 분위기에 맞게 조정합니다.

○ 세부 요소 수정 : 캐릭터의 표정이나 포즈를 미세하게 수정합니다.

○ 요소 추가/제거 : 필요한 요소를 추가하거나 불필요한 요소를 제거합니다.

○ 구도 조정 : 필요한 경우 이미지를 크롭하거나 요소의 위치를 조정합니다.

3) 이미지 후보정 및 편집 기법

AI가 생성한 이미지는 완벽하지 않을 수 있어 후보정 및 편집이 필요합니다. Photoshop, GIMP 등의 도구를 활용하여 수정, 보완 작업을 할 수 있습니다. AI는 표지 디자인, 페이지 레이아웃, 폰트 선택 등에 대한 아이디어를 제공합니다.

(1) 8-10세 대상의 우주 모험 동화책 디자인

    ○ 표지 : 짙은 파란색 배경, 중앙에 큰 행성, 주위를 도는 우주선, 미래지향적인 글꼴

    ○ 내지 : 옅은 파란색 배경, sans-serif 폰트, 페이지의 2/3를 차지하는 삽화

(2) "5-7세 대상의 숲속 동물 이야기 동화책 디자인

    ○ 표지 : 큰 나무 아래 모여 있는 동물들, 나뭇가지 모양의 손글씨 제목

    ○ 내지 : 옅은 크림색 배경, 둥근 serif 폰트, 양쪽 페이지에 걸친 큰 그림

이러한 AI의 디자인 제안은 책의 시각적 일관성을 유지하면서도 내용과 연령에 맞는 적절한 스타일을 제시하는 데 도움을 줍니다.

4) AI 생성 이미지의 한계와 주의사항

AI 이미지 생성 도구를 사용할 때는 다음 사항들을 주의해야 합니다.

○ 저작권 문제 : AI 생성 이미지의 저작권은 아직 법적으로 명확하지 않습니다. 상업적 사용 시 주의가 필요합니다.

○ 일관성 유지 : 여러 장의 삽화를 만들 때 캐릭터의 외모나 배경의 일관성을 유지하기 어려울 수 있습니다.

○ 세부적인 컨트롤 : 미세한 부분까지 완벽하게 컨트롤하기 어려울 수 있습니다.

○ 윤리적 문제 : AI가 생성한 이미지가 의도치 않게 편견을 강화하거나 부적절한 내용을 포함할 수 있습니다.

따라서 AI 생성 이미지는 초안이나 참고 자료로 활용하고, 최종 삽화는 전문 일러스트레이터와 협업하여 제작하는 것이 좋습니다.

7. AI 동화 창작의 실제 : 전략 수립부터 피드백

AI를 활용한 동화 창작은 연령대별, 장르별 전략 수립에서 시작하여 전문가 피드백과 독자 테스트를 통한 개선으로 마무리됩니다.

연령대별로 살펴보면, 유아(2-5세)를 위한 동화는 간단하고 반복적인 구조가 중요합니다. 아동(6-12세)을 대상으로 할 때는 더 복잡한 플롯과 교훈적 요소를 포함할 수 있으며, 청소년(13-18세)을 위해서는 깊이 있는 주제와 현실적인 갈등을 다룰 수 있습니다.

AI로 초안을 생성한 후에는 전문가의 리뷰와 피드백을 받아 개선하는 과정이 필요합니다. 아동 문학 작가, 교육 전문가, 심리학자 등 다양한 분야의 전문가들로부터 스토리 구조, 캐릭터 발달, 주제의 적절성 등에 대한 평가를 받습니다.

예를 들어, 전문가가 "주인공의 성장 과정이 다소 급격하다"라고 지적했다면, AI를 활용해 다음과 같은 프롬 프트로 수정할 수 있습니다. "전문가가 '주인공의 성장 과정이 다소 급격하다'라고 지적했습니다. '하늘이의 에코 모험'의 5장을 고려하여 수정해 주세요. 주인공의 성장을 더 점진적이고 자연스럽게 표현해 주세요."라고 요청할 수 있습니다.

교육적 가치와 심리적 영향도 중요한 고려사항입니다. AI를 활용해 동화의 교육적 가치를 평가하고 심리적 영향을 분석할 수 있습니다. 최종적으로는 실제 타깃 연령대의 아이들에게 동화를 읽어주고 그들의 반응을 관찰하는 독자 테스트가 필요합니다. 이 과정에서 수집된 데이터를 AI로 분석하여 동화의 강점과 개선점을 파악할 수 있습니다.

AI를 활용한 피드백 통합 시에는 일관성 유지, 과도한 수정 주의, AI 의존도 조절, 지속적인 학습 등에 주의를 기울여야 합니다. 이러한 과정을 통해 AI의 창의성과 효율성, 전문가의 통찰력, 그리고 실제 독자들의 반응을 모두 고려한 높은 품질의 동화를 만들 수 있습니다.

8. AI와 함께하는 동화 창작의 새 지평

AI를 활용한 동화 창작 여정을 통해 우리는 기술과 예술의 조화로운 결합을 경험했습니다. 이 과정에서 몇 가지 중요한 통찰을 얻을 수 있었습니다.

첫째, 작가의 역할이 AI와의 협업자, 큐레이터, 최종 결정자로 진화했습니다. 둘째, AI의 활용으로 멀티미디어 동화 등 더욱 다양하고 풍부한 형식의 동화 창작이 가능해졌습니다. 셋째, AI 활용 과정에서 윤리적 고려의 중요성이 부각되었습니다. 넷째, 동화 창작의 민주화가 촉진되어 더 다양한 목소리와 경험이 동화에 반영될 수 있게 되었습니다.

이제 우리는 AI와 함께하는 새로운 동화 창작의 시대를 맞이했습니다. 이 새로운 패러다임은 도전과 기회를 동시에 제공합니다. 작가로서 우리는 이 변화를 통해 창작 능력을 확장시켜, 21세기 어린이들의 마음을 울리고 상상력을 자극하며 미래를 위한 가치와 비전을 제시하는 새로운 동화의 세계를 열어갈 수 있을 것입니다.

AI

4장

AI 활용 에세이 쓰기

21세기 기술 혁신의 핵심에는 인공지능(AI)이 있습니다. 글쓰기는 오랜 시간 동안 인간의 창의성과 감정을 표현하는 중요한 수단으로 여겨져 왔습니다. 그러나 이제 AI와의 협업 덕분에 글쓰기는 새로운 차원으로 진화하고 있습니다. 이러한 변화는 글쓰기의 가능성을 확장하고, 새로운 창작의 세계를 열어줍니다.

1) AI와 에세이의 만남 : 왜 AI 인가?

에세이 작성을 어렵게 느끼는 이들에게 AI는 매우 유용한 도구가 될 수 있습니다. AI는 다양한 아이디어를 제공하고, 글의 구조를 정리하며, 문법과 스타일을 수정하는 등 여러 단계를 도와주어 에세이 작성의 효율성을 높여줍니다. 에세이를 작성할 때 AI를 사용하는 주요 이유는 다음과 같습니다.

(1) 아이디어 생성 : AI는 주제와 관련된 키워드를 입력하면 다양한 아이디어를 생성해 줍니다. 예를 들어, '세계여행'이라는 주제를 입력하면, 여행지 추천, 문화 경험, 음식 탐방 등의 아이디어를 제시해 줄 수 있습니다.

(2) 글의 구조 잡기 : AI는 에세이의 전체적인 구조를 잡을 수 있도록 도입부, 본문, 결론의 구조를 제안하고, 각 부분에 들어갈 내용을 정리해 줍니다. 예를 들어, 도입부에서는 개인적인 경험을 이야기하고, 본문에서는 여행지의 문화와 음식을 다루며, 결론에서는 여행의 의미를 정리하는 식입니다.

(3) 문법 및 스타일 교정 : AI는 문법 오류를 수정하고 문장의 흐름과 스타일을 개선해 줍니다. 이를 통해 에세이의 가독성을 높이고, 독자가 쉽게 이해할 수 있는 글을 작성할 수 있습니다.

(4) 시간 절약과 효율성 : AI는 방대한 데이터베이스를 통해 신속하게 자료를 수집하고, 관련 정보를 정리하여 제공합니다. 또한, 글의 초안을 빠르게 작성해

주어, 작가가 창의적 아이디어를 발전시키는 데 더 많은 시간을 할애할 수 있게 합니다.

2) AI 도구 탐방 : 나에게 맞는 AI 찾기

AI 도구는 다양한 기능을 제공하므로, 자신에게 맞는 도구를 선택하는 것이 중요합니다. 적절한 AI 도구를 찾는 과정은 에세이 작성의 효율성과 창의성을 극대화하는 데 필수적입니다. 대표적인 AI 도구와 그 특징에 대한 안내입니다.

(1) OpenAI의 GPT-4
GPT-4는 자연어 처리에 강점을 가진 AI로, 창의적인 글쓰기와 아이디어 생성에 매우 유용합니다. 주제를 입력하면 관련된 아이디어와 문장을 제시해 줍니다. 예를 들어, '세계여행'을 주제로 입력하면, 나라별 여행지 추천, 문화 체험, 여행 팁 등의 내용을 생성해 줍니다.

(2) 클로바 (NAVER CLOVA)
네이버의 AI 도구인 클로바는 자연어 처리 기술을

기반으로 하여, 문법 교정, 번역, 요약 등 다양한 기능을 제공합니다. 특히, 한국어에 최적화되어 있어 국내 사용자들에게 큰 도움이 됩니다. 클로버는 작성된 에세이를 음성으로 읽어줄 수도 있습니다. 이를 통해 글의 흐름과 자연스러움을 검토하고, 필요시 수정할 수 있습니다.

(3) 뤼튼 (Wrtn.ai)

AI 기반의 에세이 작성 도구로, 키워드나 주제에 따라 내용을 자동으로 생성해 아이디어 도출을 돕습니다. 실시간 문법 및 스타일 교정을 제공하며, 사용자의 글쓰기 스타일에 맞춘 개인화된 제안을 제공합니다. 에세이, 블로그 포스트, 이메일 등 다양한 글 형식을 지원하고, 직관적인 인터페이스와 다양한 워드 프로세서와의 통합으로 사용이 편리합니다. 이를 통해 작가들이 쉽게 고품질의 글을 작성할 수 있도록 도와줍니다.

(4) 헤밍웨이 (Hemingway)

에세이의 가독성을 높이는 데 중점을 둡니다. 긴 문장이나 복잡한 문장을 간결하고 명확하게 다듬어

줍니다. 텍스트를 편집기에 입력하면, 어려운 단어와 구문을 하이라이트하고, 대체 표현을 제안합니다. 이를 통해 독자가 쉽게 읽을 수 있는 글을 작성할 수 있습니다.

1. 에세이의 탄생

1) 주제 선정의 기술 : '세계여행'을 예로

에세이의 주제를 선정하는 것은 매우 중요한 단계입니다. 주제는 글의 방향과 내용을 결정짓는 중요한 요소이기 때문입니다. 주제를 정하면 글의 방향성과 초점을 명확히 할 수 있어 구조를 잡고 논지를 일관되게 유지할 수 있습니다. '세계여행' 이야기로 독자가 흥미를 느낄 만한 다양한 주제를 AI로 활용하여 구성해 보겠습니다.

(1) 개인 경험 반영 : 개인의 여행 경험을 바탕으로 주제를 선정하면 독자에게 더 큰 공감을 끌어낼 수 있습니다. 예를 들어, "첫 해외여행에서 만난

사람들"이라는 주제는 독자들에게 친근하게 다가갈 수 있습니다.

다음은 AI 추천 에세이 구성에 대한 예시입니다.

○ "혼자 떠난 여행에서 배운 것들" : 혼자 여행하며 겪은 도전과 성장을 이야기합니다.

○ "가족과 함께한 세계여행" : 가족과 함께 한 여행에서의 에피소드를 통해 가족의 소중함을 이야기합니다.

○ "여행 중 만난 사람들과의 인연" : 여행 중 만난 다양한 사람들과의 인연을 중심으로 글을 구성합니다.

○ "특별한 기념일을 기념한 여행" : 생일, 결혼기념일 등 특별한 날을 기념하기 위한 여행 경험을 다룹니다.

(2) 독창성 추구 : 이미 많이 다뤄진 주제라도 독창적인 접근법을 통해 차별화할 수 있습니다. "테마별 세계여행"과 같은 주제는 새롭고 흥미로울 수 있습니다.

다음은 AI 추천 에세이 구성에 대한 예시입니다.

○ "세계 각국의 독특한 축제" : 다양한 나라에서 열리는
   독특한 축제를 소개하고 경험담을 나눕니다.

○ "현지인 추천 숨겨진 명소" : 관광객이 많이 찾지 않는
   숨겨진 명소를 현지인의 추천을 받아 소개합니다.

○ "여행지에서의 뜻밖의 발견" : 여행 중 예상치 못한
   발견이나 경험을 중심으로 글을 구성합니다.

○ "로컬 시장에서의 하루" : 각국의 로컬 시장을 탐방
   하며 그곳에서의 경험과 문화를 이야기합니다

(3) 정보 제공 : 독자가 실질적인 정보를 얻을 수 있는
   주제를 선정하는 것도 중요합니다. "효율적인 여행
   일정 짜기" 같은 주제는 시간과 비용을 절약할 수
   있는 팁을 제공하며 독자에게 유익한 정보를 전달
   합니다.

다음은 AI 추천 에세이 구성에 대한 예시입니다.

○ "세계여행 시 알아야 할 필수 팁" : 세계여행을 준비하는 이들을 위한 유용한 팁과 정보를 제공합니다.

○ "가성비 좋은 여행지 추천" : 예산에 맞춰 즐길 수 있는 가성비 좋은 여행지를 추천합니다.

○ "안전하게 여행하는 법" : 여행 중 안전을 지키는 방법과 주의사항을 다룹니다.

○ "여행 시 필요한 필수 아이템" : 여행 시 반드시 챙겨야 할 필수 아이템을 소개합니다.

2) 키워드 마법 : 아이디어를 현실로

키워드는 에세이의 구조를 잡고 내용을 풍부하게 만드는 데 중요한 역할을 합니다. 적절한 키워드를 선정하면, 글의 방향성이 뚜렷해지고, 보다 쉽게 내용을 전개할 수 있습니다.

(1) 핵심 키워드 선정 : 주제와 관련된 주요 키워드를 선정합니다. '세계여행'을 주제로 한 에세이에서는 '여행지', '문화', '음식', '관광', '경험' 등의 키워드를 사용할 수 있습니다.

(2) 키워드 연결 : 선정한 키워드를 중심으로 각 단락을 구성합니다. 각 키워드는 한 단락의 주제가 될 수 있으며, 이를 통해 글의 흐름이 자연스럽게 이어집니다.

다음은 AI 추천 에세이 구성에 대한 예시입니다.

○ 키워드 '문화'와의 단락 구성
 "여행지에서의 문화 체험은 매우 중요합니다. 스페인에서는 플라멩코 춤과 투우 경기를, 인도에서는 화려한 축제와 전통 의상을 경험할 수 있습니다. 이러한 문화 체험을 통해 우리는 각 나라의 고유한 문화를 깊이 이해할 수 있습니다."

○ 키워드 '음식'과의 단락 구성
 "여행의 큰 즐거움 중 하나는 각국의 음식을 맛보는

것입니다. 스페인에서는 파에야와 타파스를, 태국에서는 똠얌꿍과 쌀국수를 맛볼 수 있습니다. 현지의 전통 음식을 맛보는 것은 그 나라의 문화를 체험하는 좋은 방법입니다."

(3) 세부 키워드 확장 : 주요 키워드를 기반으로 세부 키워드를 확장합니다. 예를 들어, '여행지'라는 키워드에서 '유럽', '아시아', '남미' 등으로 확장할 수 있습니다. 이렇게 하면 각 단락에서 다룰 내용을 보다 구체화할 수 있습니다.

3) AI가 추천하는 키워드

○ 질문 : "세계여행 에세이를 작성하기 위해 어떤 키워드를 사용해야 하나요?"

○ AI의 답변 : "세계여행 에세이를 작성할 때는 여행지, 문화, 음식, 관광, 경험 등의 키워드를 사용하는 것이 좋습니다. 이 키워드는 에세이의 각 단락에서 다룰 주제를 명확히 하고, 독자의 흥미를 끌 수 있습니다."

이제 이렇게 선정한 키워드와 AI의 도움을 받아 에세이를 작성해 볼 수 있습니다. 주제 선정과 키워드 활용을 통해, 글의 주제를 쉽게 잡을 수 있고, 독자에게 흥미로운 내용을 전달할 수 있습니다.

2. 도입부 쓰기 마스터

1) 첫 문장에 담긴 힘 : 도입부 작성법

도입부는 에세이에서 가장 중요한 부분 중 하나입니다. 첫 문장은 독자가 글을 계속 읽고 싶게 만드는 역할을 하며, 에세이의 분위기와 방향을 설정합니다.

(1) 강렬한 이미지 사용 : 첫 문장에 강렬한 이미지를 담으면 독자의 시선을 끌 수 있습니다. 예를 들어, "태양이 지는 순간, 사막의 모래는 황금빛으로 물들었다."라는 문장은 강렬한 시각적 이미지를 제공합니다.

(2) 개인적 경험 이야기 : 도입부에 개인적 경험을 녹여내면 독자와의 공감을 형성할 수 있습니다. "나는 어릴 적부터 세계여행을 꿈꾸었고, 그 첫 발걸음은 유럽으로 향했다."와 같은 문장은 독자의 감정을 자극할 수 있습니다.

(3) 흥미로운 질문 제시 : 도입부에 질문을 던지면 독자의 호기심을 자극할 수 있습니다. 예를 들어, "왜 사람들은 낯선 곳으로 떠나는 것을 갈망할까?"라는 질문은 독자가 계속 읽게 만듭니다.

2) AI의 도움으로 매력적인 도입부 만들기

AI는 도입부를 작성하는 데 있어 훌륭한 조력자가 될 수 있습니다. AI를 통해 다양한 도입부 아이디어를 얻고, 독자를 사로잡는 첫 문장을 작성할 수 있습니다.

○ 질문 : "세계여행 에세이의 도입부를 어떻게 시작하면 좋을까요?"

○ AI의 답변 : "도입부는 독자의 시선을 사로잡는 중요한 부분입니다. 예를 들어, '나는 어릴 적부터 세계를 여행하는 꿈을 꾸었다. 그 꿈을 이루기 위해 처음 떠난 곳은...'와 같이 개인적인 이야기나 강렬한 이미지로 시작할 수 있습니다."

강렬한 이미지, 개인적 경험, 흥미로운 질문 등을 통해 독자의 관심을 사로잡을 수 있습니다.

3. 본문의 미학

1) 논리적 흐름과 구조 잡기

에세이의 본문은 주제를 깊이 있게 다루고, 논리적인 흐름을 유지하는 것이 중요합니다. 본문을 잘 구성하면 독자가 쉽게 내용을 이해하고 공감할 수 있습니다. 본문은 일반적으로 각 단락이 하나의 주요 아이디어를 다루도록 구성됩니다.

○ 도입부에서 본문으로 연결 : 도입부에서 설정한 주제를 본문에서 확장합니다. 도입부에서 독자의 관심을 끌었다면, 본문에서는 그 관심을 유지하면서 주제를 깊이 있게 탐구합니다.

○ 논리적 구조 유지 : 각 단락은 하나의 주요 아이디어를 중심으로 구성됩니다. 세계여행에 관한 에세이라면, 각 단락이 다른 나라의 여행 경험을 다루는 식으로 구성할 수 있습니다.

○ 구체적 예시 사용 : 구체적인 예시와 경험을 통해 본문을 풍부하게 만듭니다. 독일을 여행한 에세이를 작성한다면, 독일의 문화와 음식, 관광지에 대한 구체적인 경험을 서술합니다.

2) AI와 함께하는 본문 작성 : 독일, 스페인 여행 예시

AI는 본문 작성에서 매우 유용한 도구가 될 수 있습니다. AI를 활용하면 논리적인 구조를 유지하면서도 다양한 아이디어를 얻을 수 있습니다.

○ 질문 : "독일 여행의 특별한 경험을 본문에 어떻게 작성하면 좋을까요?"

○ AI의 답변 : "독일 여행에서는 베를린의 브란덴 부르크 문과 뮌헨의 옥토버페스트를 추천합니다. 또한, 독일의 소시지와 맥주는 잊을 수 없는 맛 입니다."

다음은 AI로 작성한 독일 여행의 본문 예시입니다.

독일은 그 역사와 현대적인 매력이 공존하는 나라 입니다. 베를린에서 가장 인상 깊었던 곳은 브란덴부르크 문이었습니다. 이 문은 독일의 역사를 상징하는 곳으로, 그 웅장함과 역사적인 의미가 깊이 남았습니다. 또한, 베를린 장벽의 잔해를 보며 독일의 분단과 통일의 역사를 느낄 수 있었습니다.

독일 여행에서 놓칠 수 없는 것은 옥토버페스트입니다. 뮌헨에서 열리는 이 축제는 세계적으로 유명하며, 독일의 맥주와 소시지를 맛볼 수 있는 절호의 기회입니다. 축제의 활기찬 분위기 속에서 다양한 사람들과 어울리며 독일 문화를 체험할 수 있었습니다.

이제 AI의 도움을 받아 또 다른 나라의 여행 경험을 본문에 추가해 보겠습니다.

○ 질문 : "스페인 여행의 특별한 경험을 본문에 어떻게 작성하면 좋을까요?"

○ AI의 답변 : "스페인 여행에서는 바르셀로나의 사그라다 파밀리아와 마드리드의 프라도 미술관을 추천합니다. 또한, 스페인의 타파스와 플라멩코 공연은 특별한 경험입니다."

다음은 AI로 작성한 스페인 여행의 본문 예시입니다.

스페인은 그 문화와 예술, 그리고 다채로운 음식으로 많은 이들의 사랑을 받는 나라입니다. 바르셀로나에서 가장 기억에 남는 곳은 사그라다 파밀리아였습니다. 가우디의 걸작인 이 성당은 그 독특한 건축양식과 웅장함으로 감탄을 자아냈습니다. 또한, 바르셀로나의 고딕 지구를 걸으며 느낀 중세의 분위기는 특별했습니다. 스페인 여행에서 빼놓을 수 없는 것은 타파스입니다. 마드리드의 작은 바에서 즐긴 타파스는 신선한 재료와 독특한 맛으로 잊을 수 없는 경험이었습니다. 또한, 플라멩코 공연은 스페인의 열정과 문화를 느낄 수 있는 특별한 시간이었습니다.

위의 예시와 같이 독일은 역사와 현대 그리고 독특한 문화가 어우러진 여행지로, 스페인은 그 문화와 예술 그리고 음식이 어우러진 여행지로 묘사하며 작가의 글감에 다양한 경험을 추가할 수 있도록 도움을 줍니다.

4. 결론에서 반짝이는 마무리

1) 독자의 마음을 사로잡는 결론 작성법

결론은 에세이의 마지막을 장식하는 부분으로, 독자에게 강한 인상을 남깁니다. 결론 작성 시, 본문의 내용을 요약하고, 에세이의 주제를 재강조하며, 독자에게 새로운 시각을 제공하는 것이 중요합니다.

○ 핵심 요약 : 결론에서는 본문에서 다룬 주요 내용을 요약합니다. 이는 독자가 에세이의 핵심 포인트를

다시 한번 확인할 수 있도록 돕습니다. 예를 들어, "이번 글에서 우리는 여러 나라를 여행하며 그들의 문화와 음식을 체험하고, 사람들과의 교류를 통해 새로운 시각을 얻었습니다."라고 요약할 수 있습니다.

○ 주제 재강조 : 에세이의 주제를 다시 한번 강조하여 독자가 글의 핵심 메시지를 명확히 이해하도록 합니다. "세계여행은 단순한 관광이 아니라, 다양한 문화를 이해하고 존중하는 중요한 여정입니다." 라는 문장은 주제를 효과적으로 전달합니다.

○ 독자에게 질문 던지기 : 결론에 질문을 던져 독자가 에세이를 읽은 후에도 계속 생각할 수 있게 만듭니다. 예를 들어, "당신은 어떤 나라를 여행하고 싶은가요? 그곳에서 어떤 문화를 체험하고 싶은가요?"라는 질문은 독자의 호기심을 자극합니다.

2) AI의 피드백을 활용한 결론 다듬기

AI는 결론을 다듬는 데 매우 유용한 도구입니다. AI의 피드백을 통해 결론을 더욱 논리적이고 매끄럽게 개선할 수 있습니다. AI를 활용하면 결론의 완성도를 높일 수 있습니다.

○ 질문 : "세계여행 에세이의 결론을 어떻게 다듬으면 좋을까요?"

○ AI의 답변 : "결론에서는 본문에서 다룬 주요 포인트를 요약하고, 에세이의 주제를 다시 한번 강조하며, 독자에게 생각할 거리를 제공하면 좋습니다."

다음은 AI로 작성한 결론 예시입니다.

"이번 글에서 우리는 여러 나라를 여행하며 그들의 문화와 음식을 체험하고, 사람들과의 교류를 통해 새로운 시각을 얻었습니다. 세계여행은 단순한 관광이 아니라, 다양한 문화를 이해하고 존중하는 중요한 여정입니다. 당신은 어떤 나라를 여행하고 싶은가요? 그곳에서 어떤 문화를 체험하고 싶은가요?"

이처럼 AI의 도움을 받아 결론을 다듬으면, 독자에게

강한 인상을 남기는 마무리를 작성할 수 있습니다.

5. AI를 활용한 자료 조사

1) 신뢰할 수 있는 자료 찾기

에세이를 작성할 때 신뢰할 수 있는 자료를 찾는 것은 매우 중요합니다. 정확하고 신뢰할 수 있는 자료는 글의 신뢰성을 높이고, 독자에게 유익한 정보를 제공합니다. 자료를 찾을 때는 다음과 같은 기준을 고려해야 합니다.

○ 출처의 신뢰성 : 출처가 신뢰할 수 있는 기관이나 전문가의 것인지 확인합니다. 예를 들어, 학술 논문, 정부 보고서, 유명 대학의 연구 자료 등이 신뢰할 수 있는 자료에 해당합니다.

○ 업데이트 여부 : 자료가 최신 정보인지 확인합니다. 최신 정보를 제공하는 자료는 빠르게 변화하는 상황을 반영하므로 중요합니다.

○ 출처의 명확성 : 자료의 출처가 명확히 표시되어
  있는지 확인합니다. 출처가 불분명한 자료는 신뢰
  하기 어렵습니다.

2) 추천 사이트와 도구 활용법

AI를 활용하여 자료를 조사할 때 유용한 사이트와
도구를 소개합니다. 한국어를 제공하며, 사람들이 많이
이용하는 AI 도구와 추천 사이트는 다음과 같습니다.

○ NAVER Academic (네이버 학술정보) : 학술 논문,
  연구 자료 등을 쉽게 검색할 수 있는 플랫폼입니다.
  네이버 학술정보는 다양한 분야의 학술 자료를 제공
  하여 신뢰할 수 있는 자료를 찾는 데 유용합니다.

○ Google Scholar (구글 스칼라) : 전 세계의 학술 논문,
  책, 특허 등을 검색할 수 있는 도구입니다. 구글
  스칼라는 방대한 학술 자료를 제공하여 연구와
  자료 조사에 유용합니다.

○ 정부 웹사이트 : 각 국가의 정부 웹사이트는 관광
통계, 경제 데이터 등 다양한 자료를 제공합니다. 예를
들어, 한국관광공사(KTO) 웹사이트에서는 한국의
관광 통계를 확인할 수 있습니다.

○ 도서관 자료 : 도서관의 전자책, 저널, 데이터베이스를
활용하면 깊이 있는 자료를 얻을 수 있습니다. 대학
도서관의 온라인 자료실을 통해 다양한 학술 자료에
접근할 수 있습니다.

○ GPT-4 (OpenAI) : 자연어 처리를 통해 다양한 자료를
요약하고, 검색 결과를 제공하는 AI 도구입니다.
GPT-4는 복잡한 정보를 쉽게 이해하고 정리하는 데
유용합니다.

3) AI 도구 활용법

AI 도구를 활용하면 방대한 자료를 효율적으로 검색
하고 정리할 수 있습니다. 이를 통해 시간과 노력을 절약
하여 원하는 정보를 신속히 찾을 수 있는 장점이 있습
니다. 검색한 결과를 에세이에 반영하면 신뢰도를 높일

수 있습니다. 다음은 AI 도구를 활용한 자료 조사 방법입니다.

○ 키워드 검색 : AI 도구에 관련 키워드를 입력하여 필요한 자료를 검색합니다. 예를 들어, "세계여행 문화 경험"이라는 키워드를 입력하면 관련 논문, 기사, 보고서 등을 검색할 수 있습니다.

○ 요약 기능 활용 : AI 도구는 방대한 자료를 요약해 주는 기능을 제공합니다. 이를 통해 긴 논문이나 보고서의 핵심 내용을 빠르게 파악할 수 있습니다.

○ 참고 문헌 관리 : AI 도구를 활용하여 참고 문헌을 관리할 수 있습니다. 예를 들어, 구글 스칼라는 논문의 인용 정보를 제공하여 참고 문헌 목록을 쉽게 작성할 수 있습니다.

6. 수정과 편집의 예술

1) AI를 이용한 문법과 스타일 수정

수정과 편집은 에세이 작성에서 매우 중요한 단계입니다. 이 과정에서는 글의 문법 오류를 바로잡고, 스타일을 개선하여 전체적인 글의 완성도를 높입니다. AI 도구는 이러한 작업을 효율적으로 수행할 수 있도록 도와줍니다.

○ 문법 오류 수정 : AI 도구는 문법 오류를 감지하고 자동으로 수정합니다. Grammarly와 같은 도구는 철자 오류, 문장 구조 문제, 구두점 오류 등을 빠르게 찾아내어 수정할 수 있습니다. 예를 들어, "여행은 재미있다."라는 문장을 "여행은 재미있다."로 자동으로 수정할 수 있습니다. 무료 버전, 프리미엄 요금제 제공

○ 스타일 개선 : AI 도구는 문장의 가독성을 높이고 스타일을 개선하는 데 유용합니다. Hemingway와 같은 도구는 복잡한 문장을 간결하게 만들고, 명확한 표현을 제안합니다. 예를 들어, "나는 파리에서 에펠탑을 처음 보았을 때, 그 웅장함에 놀랐다." 라는 문장을 "파리에서 처음 본 에펠탑은 정말 웅장했다."로 간결하게 수정할 수 있습니다. 웹 기반 무료

버전과 데스크톱 앱으로 사용할 수 있는 프리미엄 티어 요금제 제공

○ Hemingway 문장 수정 전

○ Hemingway 문장 수정 후

○ 일관성 유지 : AI는 글의 일관성을 유지하는 데 도움을 줍니다. 같은 단어의 반복을 줄이고, 문체의 일관성을 유지할 수 있도록 제안합니다. 예를 들어, 동일한 의미의 단어를 반복적으로 사용하지 않도록

'다양한', '여러', '다양성' 등을 번갈아 사용하도록 AI에게 명령할 수 있습니다.

2) 문장 다듬기와 최종 점검

수정과 편집 단계에서는 문장을 다듬고 최종 점검을 통해 글을 완성합니다. AI 도구는 문장의 명확성과 일관성을 높여주고, 세부적인 부분까지 꼼꼼하게 검토할 수 있습니다.

○ 문장 다듬기 : 문장을 더욱 매끄럽게 다듬기 위해 AI 도구를 활용합니다. ChatGPT를 통해 문장을 검토하고, 더 나은 표현을 제안받을 수 있습니다. "나는 핀란드에서 오로라를 처음 보았을 때, 감탄했다." 라는 문장은 "핀란드에서 오로라를 처음 본 순간, 그 장엄한 아름다움에 완전히 매료되었다."로 수정할 수 있습니다. 또한, 다른 문장으로도 제안받을 수 있습니다.

○ 최종 점검 : 최종 점검 단계에서는 전체 글을 다시 읽고, 논리적 흐름을 확인합니다. AI 도구는 이 과정

에서 빠진 부분이나 논리적 비약을 찾아내는 데
도움을 줍니다. 또한, AI는 글의 톤과 스타일을 점검
하여 일관성을 유지할 수 있도록 합니다.

○ 교정 읽기 : 최종 점검 후, AI 도구를 사용하여 교정
읽기를 수행합니다. Grammarly와 같은 도구는 글을
읽으며 남은 오류를 찾아 수정합니다. 이 과정을 통해
글의 완성도를 더욱 높일 수 있습니다.

○ 피드백 받기 : AI 도구를 통해 작성한 글에 대한
피드백을 받을 수 있습니다. 예를 들어, ChatGPT에게
"이 문장이 더 나은가요?", "수정해 주세요"라고 물어
보면, AI가 개선된 문장을 제안해 줄 수 있습니다.
이를 통해 글의 질을 더욱 향상시킬 수 있습니다.

7. 출판으로의 여정

1) 출판 플랫폼 소개와 선택 가이드

에세이를 출판하는 과정에서 적절한 플랫폼을 선택하는 것은 매우 중요합니다. 여러 출판 플랫폼이 있으며, 각 플랫폼은 고유한 특징과 장점을 가지고 있습니다. 다음은 대표적인 출판 플랫폼과 그 선택 가이드입니다.

○ Amazon Kindle Direct Publishing (KDP) : KDP는 전 세계에서 가장 인기 있는 셀프 출판 플랫폼 중 하나입니다. 전자책과 인쇄본을 모두 출판할 수 있으며, 높은 로열티와 광범위한 독자층을 자랑합니다. 그러나 경쟁이 치열하고, 효과적인 마케팅이 필요합니다.

○ Lulu : 인쇄본과 전자책 출판을 지원하는 플랫폼으로, 다양한 인쇄 옵션과 글로벌 배송 서비스를 제공합니다. Lulu는 고품질 인쇄본을 원하는 작가에게 적합하며, 사용하기 쉬운 인터페이스와 넓은 유통 네트워크를 제공합니다. 단점으로는 다소 높은 수수료가 있습니다.

○ Blurb : 포토북, 잡지, 무크 등 다양한 형식의 책을 제작할 수 있는 플랫폼입니다. 창의적인 디자인을

원하는 작가에게 적합하며, 고품질 인쇄와 다양한
커스터마이징 옵션을 제공합니다. 그러나 Blurb는
초기 비용이 발생할 수 있으며, 가격이 비교적
높습니다.

○ IngramSpark : 글로벌 유통 네트워크를 갖춘 출판
플랫폼으로, 전자책과 인쇄본 출판을 모두 지원
합니다. 도서관 및 서점에 도서 공급이 가능하며,
넓은 유통 범위와 전문적인 인쇄 품질을 자랑합니다.
초기 설정 비용과 복잡한 인터페이스가 단점입니다.

○ Draft2Digital : 전자책 출판에 특화된 플랫폼으로,
다양한 전자책 스토어에 배포할 수 있습니다. 사용
하기 쉬운 인터페이스와 다양한 포맷 지원이 장점
이지만, 인쇄본 출판은 지원하지 않습니다.

2) 출판 전 준비사항 체크리스트

출판을 준비하는 과정에서는 여러 가지 사항을 체크
해야 합니다. 다음은 출판 전 준비 사항 체크리스트
입니다.

○ 원고 최종 점검 : 출판 전에 원고를 철저히 검토합니다. 문법 오류, 오타, 논리적 비약 등을 확인하고 수정합니다. AI 도구를 활용하여 최종 교정을 거치면 좋습니다.

○ 표지 디자인 : 책의 첫인상을 결정짓는 표지는 매우 중요합니다. 전문 디자이너에게 의뢰하거나 Canva와 같은 도구를 활용하여 직접 디자인할 수 있습니다. 표지는 책의 주제와 분위기를 잘 반영해야 합니다.

○ ISBN 번호 : ISBN 번호는 도서의 고유 식별자입니다. 대부분의 출판 플랫폼에서는 ISBN 번호를 제공하지만, 직접 구매할 수도 있습니다. ISBN 번호는 도서의 유통과 관리에 필수적입니다.

○ 가격 설정 : 도서의 가격을 설정합니다. 가격은 시장 조사와 유사 도서의 가격을 참고하여 결정합니다. 너무 높거나 낮지 않도록 적절한 가격을 설정하는 것이 중요합니다.

○ 메타데이터 작성 : 메타데이터는 도서의 검색과 유통에 중요한 역할을 합니다. 제목, 저자, 출판사, 출판일, 카테고리, 키워드 등을 정확히 작성합니다. 메타데이터가 잘 작성되면 도서의 가시성을 높일 수 있습니다.

○ 출판 계약 : 출판 플랫폼의 계약 조건을 확인합니다. 로열티, 저작권, 배포 범위 등을 꼼꼼히 검토합니다. 각 플랫폼의 조건을 비교하여 가장 유리한 조건을 선택합니다.

○ 마케팅 계획 : 출판 후의 마케팅 계획을 세웁니다. 소셜 미디어, 블로그, 이메일 뉴스레터 등을 활용하여 도서를 홍보합니다. 초기 리뷰를 확보하고, 독자와의 소통을 강화하여 도서의 인지도를 높입니다.

○ 유통 채널 설정 : 도서의 유통 채널을 설정합니다. 전자책, 인쇄본, 오디오북 등 다양한 형식으로 출판하고, 각 채널에 맞는 유통 전략을 세웁니다. 글로벌 유통을 고려하여 다양한 플랫폼에 도서를 배포합니다.

이러한 준비 사항을 체크하고, 각 단계를 꼼꼼히 확인하여 출판을 진행하면 성공적인 출판을 할 수 있습니다. AI 도구를 활용하여 출판 과정을 개인이 관리하고, 도서 출판의 모든 단계에 적극적으로 참여할 수 있습니다.

8. AI 에세이 예시

AI는 에세이 작성의 모든 단계를 도와줄 수 있습니다. 다음은 AI가 도와준 세계여행 에세이의 초안과 최종본 비교 예시입니다.

1) 에세이 초안

○ 도입부

나는 어릴 적부터 세계를 여행하는 꿈을 꾸었다. 그 꿈을 이루기 위해 처음 떠난 곳은 유럽의 중심, 프랑스였다. 에펠탑의 웅장함과 샹젤리제 거리의 화려함에 매료되어 나는 여행의 매력에 빠져들었다.

○ 본문

프랑스에서의 첫 번째 여행지는 파리였다. 에펠탑을 처음 봤을 때, 그 거대한 구조물에 압도되었다. 파리의 거리들은 예술과 문화로 가득 차 있었고, 루브르 박물관에서 본 모나리자는 나에게 깊은 인상을 남겼다. 그다음으로, 이탈리아로 향했다. 로마에서는 고대 로마의 유적을 탐방하며 역사의 깊이를 느낄 수 있었다. 콜로세움의 웅장함과 바티칸 시국의 신비로움은 말로 다 표현할 수 없을 정도였다. 마지막으로, 브라질로 향했다. 리우데자네이루의 해변은 그야말로 천국 같았다. 코파카바나 해변에서의 여유로운 시간과 삼바 축제에서의 흥겨움은 잊을 수 없는 추억으로 남았다.

○ 결론

세계여행은 단순한 관광이 아닌, 새로운 문화를 이해하고 존중하는 중요한 경험이다. 각 나라마다 고유한 문화를 체험하며, 우리는 더 넓은 세상을 이해하게 된다. 앞으로도 계속해서 세계를 여행하며 더 많은 것을 배우고 경험하고 싶다.

2) 에세이 최종본

○ 도입부

 어릴 적부터 세계를 여행하는 꿈을 품었다. 그 꿈을
실현하기 위해 떠난 첫 여정은 유럽의 심장, 프랑스
였다. 에펠탑의 웅장함과 샹젤리제 거리의 화려함에
매료되며, 나는 여행의 진정한 매력을 발견했다.

○ 본문

 프랑스에서의 첫 번째 여행지는 파리였다. 에펠탑의
거대한 자태에 처음 마주했을 때, 그 웅장함에 압도
되었다. 파리의 거리들은 예술과 문화로 가득 차 있었고,
루브르 박물관에서 본 모나리자는 나에게 깊은 인상을
남겼다. 프랑스에서의 경험은 단순한 관광이 아니라,
예술과 문화의 향연이었다. 그다음으로, 이탈리아로 향했다.
 로마에서는 고대 로마의 유적을 탐방하며 역사의
깊이를 느낄 수 있었다. 콜로세움의 웅장함과 바티칸
시국의 신비로움은 말로 다 표현할 수 없을 정도였다.
이탈리아의 음식은 그 나라의 문화를 더욱 깊이 이해
하게 해 주었다.
 마지막으로, 브라질로 향했다. 리우데자네이루의 해변은

그야말로 천국 같았다. 코파카바나 해변에서의 여유로운 시간과 삼바 축제에서의 흥겨움은 잊을 수 없는 추억으로 남았다. 브라질 사람들의 따뜻한 환대는 여행의 의미를 더욱 풍부하게 만들었다.

○ 결론

세계여행은 단순한 관광이 아닌, 새로운 문화를 이해하고 존중하는 중요한 경험이다. 각 나라마다 고유한 문화를 체험하며, 우리는 더 넓은 세상을 이해하게 된다. 앞으로도 계속해서 세계를 여행하며 더 많은 것을 배우고 경험하고 싶다. 여행을 통해 얻은 모든 경험은 나를 더 넓은 시야를 가진 사람으로 성장하게 한다. 세계의 다양한 문화와 사람들을 만나며, 우리는 진정한 세계 시민으로 거듭난다.

3) AI가 도와준 에세이 초안과 최종본 비교

에세이 작성 과정에서 AI는 내용의 깊이와 흐름의 일관성을 상당히 향상시킬 수 있습니다. AI의 도움을 받아 글을 다듬으며 최종적으로 더 높은 품질의 작품으로 개선할 수 있습니다. 초안에서 최종본으로 발전하는 과정에서 AI가 어떻게 기여했는지 살펴보겠습니다.

○ 도입부 개선 비교

초안 : "나는 어릴 적부터 세계를 여행하는 꿈을 꾸었다. 그 꿈을 이루기 위해 처음 떠난 곳은 유럽의 중심, 프랑스였다."

최종본 : "어릴 적부터 세계를 여행하는 꿈을 품었다. 그 꿈을 실현하기 위해 떠난 첫 여정은 유럽의 심장, 프랑스였다."

→ AI는 도입부에서 더 생동감 있고 구체적인 표현을 제안하여 독자의 흥미를 끌도록 도왔습니다.

○ 본문 구체화 비교

초안 : "프랑스에서의 첫 번째 여행지는 파리였다. 에펠탑을 처음 봤을 때, 그 거대한 구조물에 압도되었다."

최종본 : "프랑스에서의 첫 번째 여행지는 파리였다. 에펠탑의 거대한 자태에 처음 마주했을 때, 그 웅장함에 압도되었다."

→ AI는 본문의 흐름을 자연스럽게 묘사하여 독자가 여행지를 더 잘 상상할 수 있도록 수정해 주었습니다.

○ 결론 강화

초안 : "세계여행은 단순한 관광이 아닌, 새로운 문화를 이해하고 존중하는 중요한 경험이다."

최종본 : "세계여행은 단순한 관광이 아닌, 새로운 문화를 이해하고 존중하는 중요한 경험이다. 각 나라마다 고유한 문화를 체험하며, 우리는 더 넓은 세상을 이해하게 된다."

→ AI는 결론에서 에세이의 주제를 더욱 강조하고, 독자가 여행의 중요성을 다시 한번 느낄 수 있도록 도왔습니다.

AI는 세심한 작업을 통해 독자에게 더 가까이 다가갈 수 있도록 돕습니다. AI 도구의 선택과 활용 방법, 글의 구조 설정, 문장 다듬기 등 구체적인 단계별 방법과 예시를 살펴보았습니다. AI를 활용하면 주제 선정, 자료 조사, 문법 및 스타일 수정, 구조 점검 등 여러 과정을 효율적이고 정확하게 수행할 수 있습니다.

AI의 피드백을 받아 문법 오류를 수정하고, 스타일을 정제하며, 문장을 다듬어 최종 점검을 통해 완성도 높은 에세이를 작성할 수 있습니다. AI는 사고를 확장하고 새로운 시각으로 주제에 접근하며 작가의 역량을 극대화할 수 있게 합니다. 결과적으로, AI는 에세이 작성 과정에서 전문적이고 체계적인 도움을 제공하는 강력한 도구입니다.

AI와의 협업을 통해 글쓰기 과정이 더욱 풍부하고 창의적으로 변모하기를 기대합니다. 이 책은 AI와의 협업으로 작성되었습니다. 이 책이 여러분의 글쓰기 과정에 영감을 주고, AI와 함께하는 새로운 글쓰기 방식에 대해 긍정적인 경험을 제공하기를 바랍니다. 또한, AI를 통해 글쓰기의 새로운 도전을 시작해 보시길 권합니다.

AI와 함께라면, 글쓰기는 더 이상 혼자만의 작업이 아니라, 창의적인 협력의 과정이 될 것입니다. AI와 함께 글쓰기의 무한한 가능성을 탐험하며, 혁신적인 작품을 만들어 나가길 기대합니다.

AI

5장

AI 활용 가사 쓰기와
음악 생성

AI 가사 쓰기와 음악은 인공지능 기술을 사용하여 가사를 쓰고, 그 가사를 바탕으로 음악을 만들고, 연주하고, 분석하는 것입니다. 작곡, 편곡부터 실시간 연주, 음악 추천 시스템까지 다양한 활용 범위를 포괄합니다.

이번 장에서는 이와 관련하여 AI를 활용한 가사 쓰기에 대한 이야기를 시작으로 AI로 음악을 생성하는 것까지의 내용을 다루어보고자 합니다.

1. AI로 가사 쓰기

GPT와 같은 대화형 인공지능 툴들이 가장 큰 장점을 발휘하는 분야 중에 하나가 바로, 가사 쓰기입니다. 수 십 페이지의 긴 글 또는 한 권 분량의 긴 글을 생성해 내는 것은 아직 어렵고 부족하지만, 짧은 분량의 글로 이루어진 가사 쓰기에서만큼은 큰 효과를 발휘하고 있는 상황입니다. 물론, GPT 이외에도 구글 Gemini, 마이크로소프트의 Copilot, 네이버 Cue와 같은 여러 대화형 인공지능에서도 가사 쓰기 정도의 생성은 원활하게 진행이 가능합니다. 다만, 성능의 차이는 존재합니다.

1) 가사를 잘 생성하려면?

대화형 인공지능을 통하여 가사를 잘 생성하려면, 소설 쓰기 또는 에세이 쓰기, 동화 쓰기 등과 같이 기본적으로 AI에게 역할을 부여해 주면 좋습니다. 예를 들어서 가사를 원하는 것이므로, "너는 지금부터 전문 작사가야"라는 역할을 지정하는 것입니다.

2) AI에게 물어 본 결과

이번에는 AI에게 직접 가사를 잘 생성하려면 어떻게 질문을 하면 좋을지에 대해서 물어보았습니다. AI의 답변은 아래와 같습니다.

○ 명확한 주제 설정 : AI에게 명확한 주제를 제공하면 더 집중된 가사를 생성할 수 있습니다. 예를 들어, 사랑, 이별, 우정 등 주제를 구체적으로 설정합니다.

○ 세부적인 지침 제공 : AI에게 원하는 가사의 분위기나 스타일에 대한 세부적인 지침을 제공합니다. 예를 들어, "감성적이고 서정적인 사랑 노래" 또는 "밝고 경쾌한 리듬의 우정 노래"와 같이 구체적으로 요청합니다.

○ 키워드 사용 : 가사에 포함하고 싶은 키워드나 문구를 미리 정해두고 AI에게 제공합니다. 예를 들어, "별", "추억", "손을 잡고", "영원히"와 같은 단어를 포함시키도록 요청합니다.

○ 예시 제공 : AI가 참고할 수 있도록 기존의 가사나 시의 예시를 제공하는 것도 도움이 됩니다. 이는 AI가 원하는 스타일과 톤을 이해하는 데 도움을 줍니다.

○ 반복적인 피드백 : AI가 생성한 가사에 대해 피드백을 주고, 필요한 부분을 수정하거나 추가적인 지침을 제공하여 반복적으로 가사를 개선해 나갑니다.

○ 특정 구조 요청 : AI에게 가사의 구조(예: 몇 절로 구성되었는지, 후렴구의 빈도 등)를 명시적으로 요청합니다.

○ 감정과 이야기를 강조 : 가사에 담고 싶은 감정과 이야기를 구체적으로 설명합니다. 예를 들어, "첫사랑의 설레임과 그리움" 또는 "오랜 친구와의 우정 이야기"와 같이 구체적인 상황과 감정을 설명합니다.

AI가 알려준 방법들을 바탕으로 프롬프트의 예를 들면 다음과 같습니다.

1) "사랑을 주제로 부드럽고 감동을 불러일으킬 가사를 써줘. 키워드는 행복, 미소, 영원이야. 총 2절로 후렴구는 2회 반복, 프러포즈와 함께 행복한 결혼 생활이 될 것이라는 이야기를 담은 가사로 부탁할게!"

2) "첫사랑의 설레임과 그리움을 주제로 감성적이고 서정적인 톤의 가사를 작성해 주세요. '별', '추억', '손을 잡고', '영원히'라는 키워드를 사용하여 2절과 후렴구로 구성된 가사를 원합니다. 첫사랑의 설레임과 그리움을 느끼며 함께한 추억을 되새기는 이야기를 담아주세요. 예시로 '수줍게 웃던 너의 모습 내 마음에 남아' 같은 구절을 포함해 주세요."

3) "오랜 친구와의 우정 이야기를 주제로 밝고 경쾌한 리듬의 가사를 작성해 주세요. '추억', '함께', '웃음', '영원히'라는 키워드를 사용하여 3절과 후렴구로 구성된 가사를 원합니다. 오랜 친구와의 추억을 되새기며 앞으로도 변치 않을 우정을 약속하는 이야기를 담아주세요. 예시로 '함께한 시간이 우리를 웃게 해' 같은 구절을 포함해 주세요."

2. AI 음악의 주요 구성 요소

음악의 주요 구성 요소는 크게 작곡, 연주, 분석으로 나누어지며, 각 요소에 대한 자세한 내용은 아래와 같습니다.

○ 음악 작곡 : AI 알고리즘은 기존 음악의 대규모 데이터 세트를 분석하여 음악을 작곡할 수 있습니다. 딥러닝 및 신경망과 같은 기술은 AI 시스템이 음악 구조를 이해하고 특정 스타일이나 장르를 모방하는 새로운 작곡을 생성하는 데 도움이 됩니다.

○ 음악 연주 : AI는 악기를 연주하거나 인간 연주자와 동기화하거나 연주자의 행동에 반응하여 라이브 음악을 생성할 수 있는 도구를 통해 음악 연주를 지원할 수 있습니다. 예로는 로봇 음악가와 대화형 공연 시스템이 있습니다.

○ 음악 분석 : AI는 장르, 분위기, 구조 파악 등 다양한 목적으로 음악을 분석할 수 있습니다. 이는 음악 추천 시스템, 저작권 감지 및 음악학 연구에 유용합니다.

3. AI 음악에 사용되는 기술

기계 학습, GAN(생성적 적대 신경망), RUN(반복 신경망), 자연어 처리(NLP)가 음악에 사용되는 기술들이며, 각 기술들은 저마다의 고유한 특성을 가지고 있습니다.

○ 기계 학습 : 기계 학습 알고리즘, 특히 신경망은 음악을 분석하고 생성하는 데 사용됩니다. 방대한 데이터 세트를 학습함으로써 이 모델은 음악 내의 패턴과 구조를 식별하는 방법을 학습합니다.

○ GAN(생성적 적대 신경망) : GAN은 두 개의 신경망 (생성기 및 판별기)이 서로 작동하여 점점 더 설득력 있는 음악 작품을 생성함으로써 새로운 음악을 생성하는 데 사용됩니다.

○ RNN(반복 신경망) : RNN, 특히 LSTM(장단기 기억 네트워크)은 시퀀스를 모델링하고 이전 음표를 기억하여 일관된 멜로디와 하모니를 만들 수 있기 때문에 음악 작곡에 매우 적합합니다.

○ 자연어 처리(NLP) : 가사 생성과 같은 애플리케이션
　에서 NLP 기술은 의미 있고 상황에 맞는 노래 가사를
　만드는 데 사용됩니다.

4. AI 음악의 장단점

1) 장점

○ 창의력 향상 : AI는 참신한 음악적 아이디어를 생성
　하여 새로운 창의적 방향에 영감을 줄 수 있습니다.

○ 효율성 : 음악 제작에서 반복적인 작업을 자동화하면
　시간과 리소스가 절약됩니다.

○ 개인화 : AI는 청취자에게 고도로 개인화된 음악
　경험을 제공합니다.

2) 단점

○ 품질 및 독창성: AI가 생성한 음악의 품질과 독창성을
　보장하는 것은 어려울 수 있습니다.

○ 윤리적 고려 사항 : 저작자, 저작권, 인간 음악가의 잠재적 대체와 관련된 문제를 해결해야 합니다.

○ 편향 및 다양성 : AI 시스템은 훈련 데이터에서 편향을 상속받을 수 있으므로 잠재적으로 음악 제작의 다양성이 제한될 수 있습니다.

AI 음악은 창작자에게는 새로운 도구를, 청취자에게는 새로운 경험을 제공하면서 음악 산업을 변화시킬 잠재력을 지닌 흥미롭고 빠르게 발전하는 분야입니다.

5. AI 음악의 역사

Lejaren Hiller 및 Leonard Isaacson과 같은 선구자들은 1957년에 최초의 컴퓨터 생성 작곡 중 하나인 Illiac Suite를 만들었습니다. 이러한 초기 노력은 음악 창작에 컴퓨터 방법을 통합하기 위한 토대를 마련했습니다.

1980년대 이후로 신경망과 기계 학습의 출현으로 상당한 발전이 있었습니다. 연구원들은 음악 패턴을 분석하고 보다 복잡한 작곡을 생성하는 AI의 잠재력을 탐구했습니다. 1997년 David Cope의 음악 지능 실험 (EMI)에서 주목할 만한 발전을 이루었습니다. 결과적으로 클래식 작곡가의 스타일을 모방할 수 있었고, 정교한 음악 작품을 만드는 AI의 능력을 보여주었습니다.

○ 2000년대 이후

최근 수십 년 동안 딥러닝과 신경망의 발전으로 AI 음악 도구에 혁명이 일어났습니다. 순환 신경망(RNN) 및 컨볼루션 신경망(CNN)과 같은 기술을 통해 AI는 다양한 장르와 스타일에 걸쳐 음악을 생성할 수 있었습니다. 또한 GAN(Generative Adversarial Network)이 등장하여 인간 작곡을 거의 모방한 음악을 만들 수 있게 되었습니다. 또한 AI는 오디오 품질을 자동으로 향상시키기 위해 트랙 마스터링 및 믹싱을 지원하는 LANDR 및 iZotope와 같은 도구를 사용하여 음악 제작을 변화시키고 있습니다.

음악 분야 AI의 역사는 단순한 알고리즘 구성에서 정교한 AI 기반 음악 제작 및 제작 도구에 이르기까지의 여정을 강조하며, 이는 음악 환경에서 AI의 지속적인 발전과 영향력 증가를 반영합니다.

국내에서는 2016년 광주과학기술원 GIST AI 대학원 안창욱 교수의 국내 최초의 AI 작곡가 이봄(EvoM:Evolutionary Music)을 시작으로 Musia가 만들어졌고 국내의 음악생성 AI는 다양하게 발전되었습니다.

6. 음악 제작 분야의 AI 예시

(Taryn Southern의 "I AM AI" 2018년 앨범)

Taryn Southern은 IBM의 Watson Beat, Amper, AIVA, Google Magenta를 포함한 도구의 조합을 사용했습니다. AI는 그녀가 트랙을 작곡, 편곡, 프로듀싱하는 것을

도왔습니다. 이 프로젝트는 독창적이고 혁신적인 음악을 제작하는 AI의 능력과 인간의 창의성을 결합하여 창의적인 음악 제작에서 사용된 AI의 잠재력을 보여 주었습니다.

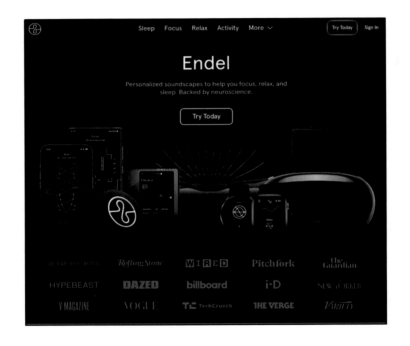

(Endel의 AI 생성 음악)

Endel은 날씨, 심박수, 시간 등 다양한 입력에 반응하는 AI 알고리즘을 사용하여 휴식, 집중, 수면을 위한 맞춤형 사운드스케이프를 만듭니다. Endel의 앱은 널리 채택되어 AI가 생성한 음악이 개인화된 적응형 사운드스케이프를 통해 일상생활을 어떻게 향상시킬 수 있는지 보여줍니다.

○ 아이바 테크놀로지스

Aiva(인공지능 가상 아티스트)는 교향곡을 만드는 AI 작곡가입니다. 영화음악, 광고, 기타 매체에 사용되었습니다. Aiva의 음악은 다양한 전문적 용도로 인정받고 라이선스를 받아 AI가 감정적으로 공감하는 고품질 음악을 생성할 수 있음을 입증했습니다.

7. 음악에서의 AI 활용

○ AI 음악 생성 및 조합 : AI는 음악을 생성하고 조합하는 데에 큰 잠재력을 가지고 있습니다. 이는 음악 작곡, 편곡, 혼합 등의 과정에서 인간 작업을 보조하거나 대체할 수 있음을 의미합니다. 예를 들어, 음악 프로듀서들이 AI를 사용하여 멜로디, 악기 배열, 사운드디자인을 자동화하고 개선할 수 있습니다.

○ 맞춤형 음악 제공 : AI는 개인 맞춤형 음악 경험을 가능하게 합니다. 청취자의 취향, 기분, 환경 등을 분석하여 그에 맞는 음악을 생성하거나 추천할 수 있습니다. 이는 음악 스트리밍 서비스에서 매우 중요한 요소로 작용할 수 있습니다.

○ 저작권 및 라이선스 관리 : AI는 음악의 저작권 관리와 라이선스 비즈니스를 혁신할 수 있는 기회를 제공합니다. 예를 들어, 음악의 소유권 추적, 라이선스 계약의 자동화, 사용료 정산 등을 효율적으로 처리할 수 있습니다.

○ 가상 음악 아티스트 및 공연 : AI는 가상의 음악 아티스트를 만들어 새로운 형태의 콘서트와 엔터테인먼트의 길을 열 수 있습니다. 여기에는 음악 시장의 다양한 부문을 혁신할 수 있는 가상 또는 홀로그램 공연이 포함됩니다.

○ 학습 및 교육 도구 : AI는 음악 교육과 학습 과정을 혁신할 수 있습니다. 이론, 연주 실력 향상, 창작 과정 육성 등의 영역에서 학습자를 지원할 수 있습니다.

기술적 진보와 함께, AI 음악의 비즈니스 모델은 기존의 음악 산업과 결합하여 새로운 수익 모델을 창출할 수 있는 가능성을 열어줍니다. 그러나 동시에 기존의 음악 창작자와 산업 구성원들에게는 기술 도입의 긍정적인 측면과 함께 도전적인 면도 존재할 수 있습니다.

8. 2024년 인기 있는 음악 생성 AI

2024년 인기 있는 음악생성 AI에는 UDIO, SUNO, MixAduio, Soundraw, Musia One, Aiva 등이 있습니다.

1) SUNO

SUNO는 혁신적인 음악생성 AI로 사용자가 간단한 텍스트 프롬프트를 입력하여 원하는 곡을 만들 수 있도록 도와줍니다.

SUNO AI는 매사추세츠주 케임브리지의 AI 스타트업인 Kensgho에서 일했던 Michael Shulman, Georg Kucsko, Martin Camacho, Keenan Freyberg 4명에 의해 설립되었습니다.

2023년 4월 GitHub와 Hugging Face에서 "Bark"라는 Open Source text-to-speech 오디오 모델을 출시했습니다.

SUNO는 2023년 12월 20일 웹 애플리케이션으로 출시되었고, Microsoft와의 협업으로 Microsoft Copilot에서 SUNO AI가 플러그인으로 들어가 있어서 대화형식으로 음악생성이 가능합니다. SUNO의 주요 기능은 다음과 같습니다.

○ 텍스트 기반 음악 생성 : 사용자가 텍스트로 노래의 주제를 입력하면 AI가 이에 맞는 멜로디와 가사를 생성합니다.

○ 다양한 장르 지원 : 다양한 음악 장르와 악기를 선택할 수 있어 사용자가 원하는 스타일의 음악을 쉽게 만들 수 있습니다.

○ 커뮤니티와의 협업 : Discord와 통합되어 사용자들이 협업하며 음악을 만들고 공유할 수 있습니다.

○ 무료 및 유료 플랜 : 무료 사용자도 기본 기능을 사용할 수 있으며, 유료 플랜을 통해 상업적 사용 권한 및 고급 기능을 이용할 수 있습니다. Suno의 활용 사례는 다음과 같습니다:

○ 초보 음악가 : 음악 창작을 배우고자 하는 초보자에게 유용한 도구로, 텍스트 입력만으로 곡을 만들 수 있어 쉽게 창작 활동을 시작할 수 있습니다.

○ 콘텐츠 크리에이터 : 유튜브, 팟캐스트 등의 배경 음악을 빠르고 쉽게 생성할 수 있어 콘텐츠 제작에 큰 도움을 줍니다.

○ 음악 치료 및 교육 : 개인 맞춤형 음악 경험을 제공할 수 있어 음악 치료나 교육용으로도 적합합니다.

2024년 6월 24일 유니버설 뮤직 그룹, 소니 뮤직 엔터테인먼트, 워너 레코드 등 미국 주요 음반사 그룹이 음악 생성 AI 스타트업 SUNO와 UDIO를 상대로 소송을 제기하였습니다. 음반사들은 SUNO와 UDIO가 AI 모델을 훈련하기 위해 막대한 양의 자사 음반을 무단으로 사용했다고 주장했습니다. 이들은 "AI가 저작권이 있는 자료를 사용해 학습하면, AI가 생성한 음악이 인간 아티스트의 작품의 가치를 떨어뜨릴 수 있다"라고 문제를 제기했습니다. 다음은 SUNO로 음악을 만드는 과정 입니다.

① 'SUNO' 사이트에 접속하면 아래와 같은 화면이 등장 합니다

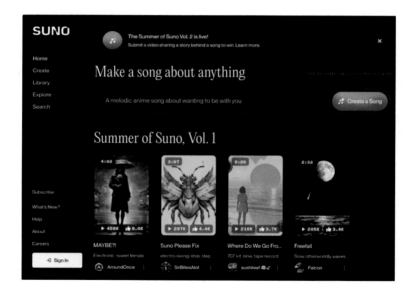

② 왼쪽 아래에 위치한 'Sign in'을 눌러서 계정을 만들 거나 로그인을 해주세요.

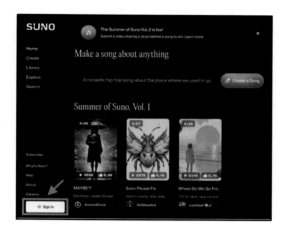

③ 구글 계정으로 진행하시면 편리합니다.

④ 생성하기 위해서는 만들고자 하는 노래에 대한 간단한 설명이 필요합니다.

⑤ 직접 가사를 쓰거나 특정 음악 스타일을 선택하고 싶으신가요? 사용자 지정 모드를 사용하면 노래에 대한 자세한 내용을 지정할 수 있습니다.

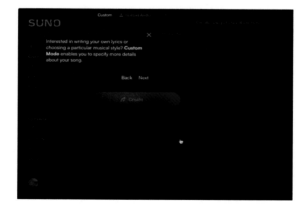

⑥ 만들기를 클릭하여 음악을 생성하세요! 여기에는
10 크레딧이 사용되며, 곡 설명에 따라 분위기와
질감이 다른 두 곡이 생성됩니다.

⑦ 오른쪽 리스트에 2개의 음악이 생성된 것을 확인하실
수 있습니다.

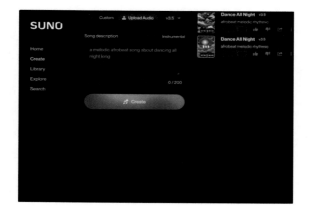

2) MixAudio

 MixAudio는 뉴튠(Neutune)에서 개발한 멀티모달
방식의 AI 음악 생성기로, 텍스트, 이미지, 오디오 정보
입력을 통해 맞춤형 배경 음악을 신속하게 생성합니다.
이 도구는 콘텐츠 크리에이터, 유튜버, 팟캐스터, 게임
개발자 등 다양한 사용자에게 적합합니다. MixAudio는
CES 2023과 GDA 2024에서 인정을 받아 수상하였으며,
저작권 걱정 없이 사용할 수 있는 음악을 제공합니다.

(MixAudio 홈페이지)

MixAudio의 주요 기능은 다음과 같습니다.

1. 멀티모달 입력 : 텍스트, 이미지, 오디오 등을 입력으로 받아 음악을 생성할 수 있습니다.

2. AI Remix : 다양한 아티스트의 원곡을 리믹스할 수 있으며, 새로운 트랙을 저작권 걱정 없이 생성할 수 있습니다.

3. AI Radio : 사용자 입력과 기분에 맞춘 음악 스트리밍 기능을 제공하며, 특정 부분을 다운로드할 수 있습니다.

4. 신속한 음악 생성 : 3초 이내에 음악을 생성하며, 맞춤형 편집 기능을 제공합니다.

5. 무료 및 유료 플랜 : 무료 플랜에서는 기본 기능을 사용할 수 있으며, 유료 플랜에서는 무제한 다운로드, 상업적 사용, 고품질 다운로드 등의 추가 기능을 제공합니다.

MixAudio는 음악 제작 과정을 단순화하고, 사용자에게 빠르고 쉽게 고품질의 배경 음악을 제공하는 혁신적인 도구입니다.

9. 생성형 AI 음악 시장 전망과 미래

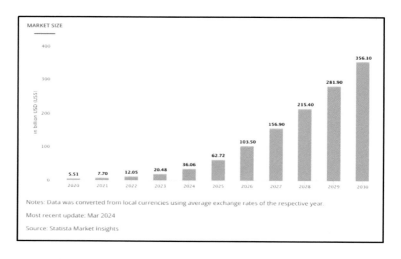

2024년 생성형 인공지능 시장 규모는 360억 달러(원화 약 49조 원)이며, 2030년에는 현재와 비교하여 약 9배 이상 성장할 것으로 예측됩니다. 생성형 인공지능 시장은 직관적인 사용법과 완성도 높은 산출물을 통해 사용자 경험을 끊임없이 개선하고 있습니다.

글로벌 시장조사 업체 마켓어스는 2023년부터 2032년 까지 AI 음악 생성 분야의 연평균 성장률을 28.6%로

추산하였습니다. 2024년 시장 규모 약 4500억 원에서 2032년에는 3조 2000억 원까지 확대될 것이라는 예측을 했습니다.

AI

6장

출판 준비

출판은 창의적 아이디어를 독자와 공유하는 복합적인 과정입니다. 이 여정은 기획, 집필, 퇴고, 편집, 홍보와 마케팅의 다섯 단계로 이루어져 있습니다. 각 단계는 작가에게 고유한 도전과 성장의 기회를 제공합니다. 최근 AI 기술의 발전은 이 전통적인 과정에 혁신적인 변화를 가져오고 있습니다. 이제 각 단계별로 AI 기술의 활용 방안과 주의점을 상세히 살펴보고자 하며, 이번 장에서는 출판 준비에 대한 내용이 다루어집니다.

1. 다양한 문학의 종류 파악

 책을 집필하기 이전 준비 과정인 기획 단계는 책의 기초를 다지는 중요한 과정입니다. 이 단계에서 책의 방향성과 목표를 명확히 설정하는 것이 성공적인 출판의 첫걸음입니다. 먼저 다양한 문학의 종류를 파악하고 쓰고자 하는 장르와 분류를 명확하게 알아야 합니다. 교보문고와 같은 온라인 서점 사이트 또는 AI를 활용하여 파악하는 방법이 있습니다.

1) 검색창에 '교보문고'를 입력해 주세요.

2) 홈페이지에 들어가서 더보기를 눌러주세요.

3) 카테고리를 보면 다양한 종류의 문학을 확인
   하실 수 있습니다.

4) 교보문고 이외에 YES24, 알라딘 등 온라인 서점에서도 확인 가능합니다.

5) 추가적으로 Chat GPT한테 물어보면 자세히 알려 줍니다. 먼저 검색창에 GPT를 입력해 주세요.

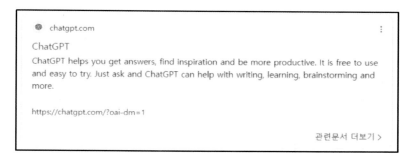

6) 아래 프롬프트창 또는 명령어창이 빨간색 박스에 있습니다.

7) 프롬프트 또는 명령어창에 "문학의 모든 종류를 알려줘"라고 입력해 주세요.

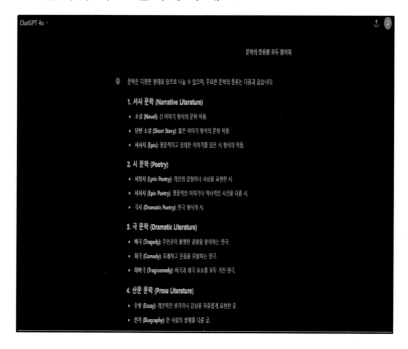

8) GPT가 알려준 다양한 문학의 종류는 아래와 같습니다.

(1) 서사 문학(Narrative Literature)

1-1 소설(Novel) : 긴 이야기 형식의 문학 작품

1-2 단편 소설(Short Story) : 짧은 이야기 형식의 문학 작품

1-3 서사시(Epic) : 영웅적이고 장대한 이야기를 담은 시 형식의 작품

(2) 시 문학 (Poetry)

2-1 서정시 (Lyric Poetry) : 개인의 감정이나 사상을 표현한 시

2-2 서사시 (Epic Poetry) : 영웅적인 이야기나 역사적인 사건을 다룬 시

2-3 극시 (Dramatic Poetry) : 연극 형식의 시

(3) 극 문학 (Dramatic Literature)

3-1 비극 (Tragedy) : 주인공이 불행한 결말을 맞이하는 연극

3-2 희극 (Comedy) : 유쾌하고 웃음을 유발하는 연극

3-3 희비극 (Tragicomedy) : 비극과 희극 요소를 모두 가진 연극

(4) 산문 문학 (Prose Literature)

4-1 수필 (Essay) : 개인적인 생각이나 감상을 자유롭게 표현한 글

4-2 전기 (Biography) : 한 사람의 생애를 다룬 글

4-3 자서전 (Autobiography) : 저자가 자신의 생애를 기록한 글

4-4 회고록 (Memoir) : 저자가 자신의 경험을 기록한 글

(5) 논픽션 (Non-fiction)

5-1 역사 (History) : 역사적 사실을 다룬 글

5-2 기행문 (Travelogue) : 여행에서의 경험을 기록한 글

5-3 언론 문학 (Journalism) : 시사나 사회 문제를 다룬 글

(6) 어린이 문학 (Children's Literature)

6-1 동화 (Fairy Tale) : 어린이를 위한 상상력이 풍부한 이야기

6-2 그림책 (Picture Book) : 글과 그림이 조화를 이룬 책

(7) 과학 문학 (Science Literature)

7-1 SF 소설 (Science Fiction) : 과학적 상상력을 바탕으로 한 이야기

7-2 과학 에세이 (Science Essay) : 과학적 주제를 다룬 수필

(8) 판타지 문학 (Fantasy Literature)

8-1 판타지 소설 (Fantasy Novel) : 마법이나 초현실적인 요소를 포함한 이야기

8-2 신화 (Mythology) : 고대의 신화와 전설을 다룬 이야기

2. 아이디어 창출

네이버 데이터랩을 사용하여 현재 독자들의 관심사를 파악합니다. 특정 키워드의 검색 빈도, 연령별/성별 관심도, 연관 검색어 등을 분석하여 인기 있는 주제와 키워드를 파악할 수 있습니다.

○ 브레인스토밍 : 데이터랩에서 얻은 정보를 바탕으로 브레인스토밍 세션을 진행합니다. 이 과정에서 다양한 아이디어를 도출하고, 그중에서 가장 흥미롭고 독창 적인 주제를 선택합니다.

○ 독창성 유지 : 데이터 분석 결과에만 의존하지 않고, 인간의 창의성과 직관을 결합하여 독창적인 아이

디어를 발전시킵니다. 예를 들어, 인기 있는 주제를 새로운 각도에서 접근하거나, 독특한 요소를 추가하여 차별화된 내용을 만듭니다.

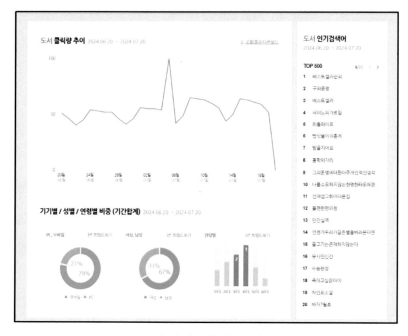

(네이버 데이터랩)

3. 시장 조사

○ 소셜 미디어 분석 : 소셜 미디어 데이터를 분석하여 블로그, 카페, 트위터 등 다양한 채널의 데이터를 수집

하고, 이를 통해 특정 주제에 대한 소비자의 반응과 관심도를 파악할 수 있습니다.

○ 온라인 서점 분석 : 주요 온라인 서점의 베스트셀러 목록과 신간 도서를 분석합니다. 이를 통해 인기 있는 주제와 책의 형식을 파악합니다. 어떤 주제의 책이 인기를 끌고 있는지, 어떤 형식의 책이 잘 팔리는지 파악할 수 있습니다. 또한, 이러한 분석은 인기 있는 책의 주제와 장르, 현재 트렌드와 독자들의 관심사, 북 커버 디자인 트렌드, 책 제목과 부제의 스타일, 독자 리뷰와 평점과 같은 독자들의 반응 정보를 제공합니다.

이러한 분석들은 단순히 어떤 책이 잘 팔리는지를 넘어서, 출판 시장의 전반적인 동향을 파악하고 독자들의 취향을 이해하는 데 도움이 됩니다. 또한, 다양한 북 커버 디자인을 지속적으로 관찰함으로써 '보는 눈'을 키울 수 있습니다. 이는 향후 자신의 책 디자인에 큰 도움이 될 수 있습니다.
일반적으로 대형 온라인서점으로 잘 알려져 있는 교보문고, 예스24, 알라딘과 같은 사이트에 접속하여 베스트

셀러, 급상승 차트 페이지 등을 통하여 관련 정보들을
얻을 수 있습니다.

○ 오프라인 서점 방문 : 온라인 데이터뿐만 아니라 실제
서점을 방문하여 독자들이 어떤 책을 구매하는지,
어떤 주제가 인기를 끌고 있는지 직접 관찰합니다.

○ 독자 인터뷰 : 독자들과의 인터뷰를 통해 그들의
요구와 관심사를 직접 듣고, 이를 바탕으로 책의
주제와 내용을 구체화합니다.

4. 내용 구조화

○ ChatGPT, Perplexity, Gemini 활용 : 이러한 AI 도구
들을 사용하여 초기 목차와 각 장의 주요 내용을
구성합니다. 예를 들어, ChatGPT를 활용해 목차를
시각적으로 정리하고, Perplexity를 통해 각 장의 주요
내용에 대한 심층적인 정보를 수집하며, Gemini를
사용해 시각적 요소와 텍스트를 결합한 콘텐츠
구조를 계획합니다.

○ 작가의 관점 반영 : AI가 제안한 구조를 검토하고, 작가의 의도와 창의성을 반영하여 최종 구조를 결정합니다. 예를 들어, AI가 제안한 목차를 바탕으로 작가의 고유한 경험과 통찰을 추가하여 독창적인 구조를 만듭니다.

5. 기획서 작성

○ AI 템플릿 활용 : AI 템플릿을 기반으로 기획서를 작성하되, 작가만의 독특한 비전과 열정을 강조하여 출판사의 관심을 끌 수 있도록 합니다.

○ 기획서의 중요성 : 기획서는 단순히 출판사의 관심을 끌기 위한 도구가 아닙니다. 이는 작가 자신을 위한 중요한 로드맵이며, 책 전체의 방향성을 결정짓는 핵심 문서입니다.

○ 아이디어 구체화 : 막연했던 아이디어를 구체적인 형태로 발전시킵니다.

○ 목표 설정 : 책을 통해 달성하고자 하는 목표를 명확히 합니다.

○ 독자 타깃팅 : 목표 독자층을 구체적으로 정의합니다.

○ 차별화 전략 : 유사 도서와의 차별점을 명확히 합니다.

○ 집필 가이드라인 : 책의 전체적인 구조와 흐름을 미리 설계합니다.

○ 시간 및 자원 관리 : 집필에 필요한 시간과 자원을 예측하고 계획합니다.

○ 협업 도구 : 편집자, 디자이너 등 관련 전문가들과의 효과적인 소통 도구로 활용됩니다.

○ 마케팅 기초 : 책의 핵심 가치와 특징을 명확히 하여 향후 마케팅 전략 수립의 기초를 마련합니다.

○ 자기 점검 : 작가 스스로 책의 가치와 실현 가능성을 객관적으로 평가할 수 있는 기회를 제공합니다.

○ 동기 부여 : 구체화된 계획을 통해 작가 자신에게 동기를 부여하고 책임감을 갖게 합니다.

기획서는 단순한 형식적 문서가 아니라, 책의 성공을 위한 전략적 도구입니다. 철저한 기획서 작성을 통해 작가는 더 명확한 비전을 가지고 집필에 임할 수 있으며, 결과적으로 더 높은 품질의 책을 만들어 낼 수 있습니다. 또한, 출판 과정에서 발생할 수 있는 다양한 문제들을 사전에 예방하고 효율적으로 대처할 수 있게 해줍니다.

AI

7장

집필 단계

집필 단계는 여러분의 아이디어를 글로 옮기는 과정입니다. 이 단계에서는 계획된 내용을 실제로 작성하게 됩니다. 여기에서는 초고 작성과 일정 관리와 창의적 습관의 형성과 관련한 내용이 다루어집니다. 잘 기억해 두셨다가 집필하는 과정에서 활용해 보세요.

1. 초고 작성

○ ChatGPT와 Perplexity 활용 : ChatGPT와 Perplexity를 활용하여 문장 구조 개선, 아이디어 확장, 자료 조사 등을 수행합니다. 예를 들어, ChatGPT를 사용하여 문장을 다듬고, Perplexity를 통해 추가적인 아이디어를 얻을 수 있습니다.

○ 작가의 스타일 반영 : AI가 생성한 내용을 참고하되, 작가의 고유한 스타일과 관점으로 재해석하여 작성합니다. 예를 들어, AI 도구로 초안을 생성한 후, 이를 바탕으로 작가의 경험과 통찰을 더하여 독창적인 내용으로 발전시킵니다.

2. 일정 관리와 창의적 습관 형성

○ 일상 속 글쓰기 습관 만들기 : 매일 일정한 시간을 글쓰기에 할애하는 것이 중요합니다. 처음에는 어렵게 느껴질 수 있지만, 자투리 시간을 활용하거나 일상

적인 순간들을 글감으로 삼는 습관을 들이면 점차 쉬워집니다.

○ 아이디어 수집의 일상화 : 차를 마시며 나누는 대화, 일상 속 소소한 관찰 등에서 얻는 번뜩이는 아이디어들을 놓치지 말고 메모해 두세요. 이러한 습관은 창의적 사고의 폭을 넓히는 데 큰 도움이 됩니다.

○ 생각의 정리와 발전 : 모아둔 메모와 아이디어를 주기적으로 정리하고 연결해 보세요. 이 과정에서 새로운 통찰을 얻거나 더 큰 아이디어로 발전시킬 수 있습니다.

○ 현실적인 목표 설정 : 하루에 1-2시간 정도의 집필 시간을 목표로 설정해 보세요. 이를 달성하면 소소한 성취감과 함께 하루를 뿌듯하게 마무리할 수 있습니다.

○ 유연한 접근 : 글쓰기를 부담스러운 과제로 여기지 말고, 자연스러운 일상의 한 부분으로 받아들이세요. 때로는 산책을 하며 구상을 하거나, 음악을 들으며 영감을 얻는 등 다양한 방식으로 창작 활동에 접근

할 수 있습니다.

○ 디지털 도구 활용 : 네이버 캘린더나 구글 캘린더 같은 앱을 사용해 글쓰기 일정을 관리하고, 스마트폰 메모 앱을 활용해 언제 어디서나 아이디어를 기록 할 수 있도록 하세요.

이러한 접근 방식은 글쓰기를 일상에 자연스럽게 통합 시키고, 창의성을 지속적으로 자극하는 데 도움이 됩니다. 또한, 작은 성취들이 모여 큰 결과물로 이어지는 과정을 경험할 수 있어, 장기적인 글쓰기 프로젝트를 완성하는 데 큰 힘이 될 것입니다.

3. 퇴고

퇴고는 글쓰기의 마무리 단계로, 교정, 교열, 윤문의 과정을 포함합니다. 이 단계에서는 글의 완성도를 높이기 위한 작업이 이루어집니다. 즉, 원고를 다듬고 품질을 높이는 작업으로써 각각의 역할과 목적이 다릅니다.

1) 교정

 교정은 맞춤법, 문법, 띄어쓰기 등의 기본적인 오류를 수정하는 과정입니다. 이를 통해 글의 정확성과 가독성을 높입니다. 즉, 교정은 문서의 철자, 문법, 구두점, 형식적인 오류를 찾고 수정하는 작업으로써 주로 최종 문서를 배포하기 전에 이루어집니다. 작업 내용은 철자 오류 수정, 문법 오류 수정, 구두점 오류 수정, 형식적 일관성 유지(표기법, 날짜 형식 등)가 있습니다.

(1) 교정 과정 예시

○ 교정 전 : "저자는 독자의 이해를 돕기 위해 여러 예시를 들었다. 하지만, 그 예시들이 항상 명확하지는 않다."

○ 교정 후: "저자는 독자의 이해를 돕기 위해 여러 예시를 들었다. 하지만 그 예시들이 항상 명확하지는 않다."

맞춤법 검사 도구를 활용하면 교정 작업을 보다 효율적으로 수행할 수 있습니다. 추천 도구로는 국립국어원의 맞춤법 검사기, 네이버 맞춤법 검사기, 다음 맞춤법 검사기, 한글과컴퓨터 워드 프로세서의 맞춤법 검사, 블로그 맞춤법 검사 기능 등이 있습니다. 짧은 글을 빠르게 검사할 경우에는 네이버 맞춤법 검사기를 사용하시면 편리하며, 보다 긴 글을 맞춤법 검사할 경우에는 블로그 맞춤법 검사기를 사용하시는 것이 좋습니다.

(네이버 맞춤법 검사기)

(2) 실용적인 팁

여러 도구 병행 사용: 여러 맞춤법 검사 도구를 병행 사용하면 더 정확한 검사가 가능합니다.

○ 문맥 고려 : 맞춤법 검사기의 제안을 무조건 수용하지 말고, 문맥을 고려하여 판단하세요.

○ 전문 용어와 고유명사 주의 : 전문 용어나 고유명사는 검사기가 오류로 인식할 수 있으니 주의해서 확인하세요.

2) 교열

교열은 문장의 흐름과 일관성을 점검하는 과정입니다. 이를 통해 문장의 논리성과 독자의 이해도를 높입니다. 즉, 문서의 내용, 구조, 스타일 등을 점검하고 수정하는 작업으로써 교정보다는 더 심도 있는 검토가 이루어지며, 문서의 전반적인 품질을 향상시키는 데 중점을 둡니다. 작업 내용은 문장 구조 수정, 단어 선택 수정, 내용의 명확성 및 일관성 확보, 논리적 흐름 개선, 반복되는 내용이나 불필요한 부분 제거가 있습니다.

(1) 교열 과정 예시

○ 교정 전 : "책은 많은 정보를 제공하고, 읽는 동안 독자에게 영감을 준다. 그래서 사람들이 자주 읽는다."

○ 교정 후 : "책은 많은 정보를 제공하며, 독자에게 영감을 준다. 그래서 사람들이 자주 읽는다."

논리적 일관성을 검토하는 도구를 활용하여 글의 구조를 점검하고, 논리적 오류나 일관성 문제를 쉽게 발견하고 수정할 수 있습니다. 이러한 도구의 분석 결과를 바탕으로 작가의 의도와 메시지가 정확히 전달되는지 확인하는 것도 중요합니다.

(2) 실용적인 팁

○ 여러 번 읽기 : 글을 여러 번 읽으며 각기 다른 시각으로 점검합니다.

○ 다른 사람의 의견 듣기 : 다른 사람에게 글을 읽히고 피드백을 받습니다.

○ 시간을 두고 재검토 : 작성 후 일정 시간을 두고 다시 읽어보면 새로운 오류를 발견할 수 있습니다.

3) 윤문

윤문은 문장의 표현과 스타일을 개선하는 과정입니다. 이를 통해 글의 품격과 독자의 흥미를 높입니다. 즉, 문서의 표현을 더 세련되게 다듬고, 문체를 통일하며, 내용을 더욱 풍부하고 매력적으로 만드는 작업입니다. 이는 문서의 전체적인 톤과 스타일을 개선하는 데 중점을 둡니다. 작업 내용은 문체와 톤 통일, 문장의 자연스러운 흐름 유지, 표현력 강화, 창의적인 표현 추가, 전체적인 문서의 품질과 매력 향상이 있습니다.

(1) 윤문 과정 예시

○ 교정 전 : "이 책은 매우 흥미롭고, 많은 정보를 제공하며, 교육적입니다."

○ 교정 후 : "이 책은 매우 흥미롭고 많은 정보를 제공하는 동시에 교육적입니다."

스타일 개선 도구를 활용하여 문장을 다듬을 수 있습니다. 예를 들어, 한국어에 특화된 문체 분석 도구를 사용하여 문장의 가독성을 개선하고, 표현을 세련되게 다듬을 수 있습니다. 이러한 도구의 제안을 참고하되, 작가의 개성과 문체를 살리는 방향으로 최종 수정을 가합니다.

(2) 실용적인 팁

○ 문장 길이 조절 : 너무 긴 문장은 짧게, 짧은 문장은 길게 조절하여 리듬을 맞춥니다.

○ 불필요한 단어 제거 : 문장의 의미를 명확히 하기 위해 불필요한 단어를 제거합니다.

○ 다양한 표현 사용 : 반복되는 단어나 표현을 피하고 다양하게 표현합니다.

이 세 가지 과정은 초보 작가들이 흔히 간과하지만, 글을 한 단계 더 높은 수준으로 끌어올리는 핵심 작업입니다.

철저한 교정, 교열, 윤문을 통해 더 명확하고 일관된, 그리고 세련된 글을 독자에게 제공할 수 있습니다.

○ 세 가지 작업 비교

교정	주로 철자, 문법 등의 기술적인 오류 수정
교열	내용의 명확성, 논리적 흐름, 일관성 확보
윤문	문서의 전체적인 표현력을 향상시키고 문체 통일

특히 윤문은 이 세 가지 과정 중 문서를 작성하고 다듬는 데 있어 각각 중요한 역할을 하며, 최종적으로는 독자에게 명확하고 매력적인 문서를 제공하는 데 기여합니다. 이와 관련하여 나무위키에서는 아래와 같이 위 내용을 잘 설명을 해주고 있습니다.

나는 과일의 종류인 배추를 먹은다.

이 예문의 맞춤법을 수정할 때 먹은다에서 먹는다로 고치면 교정이 된다. 그리고 사실이 아닌 내용을 수정할 때 과일을 채소로 고치면 교열이 된다. 부사나 관형사를 넣고 문장의 딱딱함을 풀어서 다듬으면 윤문이 된다. 그런데 단어 자체가 다소 직관적이지 않아 교정이나 교열을 써야 할 때도 이 단어를 써서 다른 의미로 혼동하기도 한다.

따라서 글은 이러한 교정을 거치면서 언어의 전달력과 사고의 깊이를 가름할 수 있을 것 같습니다. 헤밍웨이는 모든 초안과 초고는 쓰레기라고 말했습니다. 헤밍웨이는 위의 과정을 수없이 거치면서 수정과 퇴고의 중요성을 강조했다고 합니다. 이런 과정은 창작의 두려움을 줄일 수 있고 수정과정을 통하여 보다 더 나은 글이 될 수 있음을 상기하면 좋을 것 같습니다.

4. 효과적 글쓰기

 효과적으로 글쓰기를 위해, 또한 소통을 잘하기 위해서는 묘사적 글쓰기를 추천드립니다. 묘사적 글쓰기 이해를 돕기 위해 설명과 비교해서 말씀드리겠습니다.

1) 묘사와 설명

묘사	사물의 어떠함을 그리는 것으로 대상의 빛깔, 감촉, 냄새, 소리, 맛 등의 특성을 그림 그리듯 구체적으로 기술하는 방식.
	종류 -> 인물, 장면, 배경, 심리, 상황 묘사
설명	대상의 기능, 원리, 역사, 특징을 명확하고 직관적으로 전달하는 기법
	방법 -> 정의, 예시, 대조, 분류, 분석 등

 문학에서의 묘사는 인물의 감정이나 환경을 생동감 있게 만들어 주고 과정에 따라 감정의 변화를 강조하여 독자가 그 장면을 경험하는 것처럼 느끼게 합니다. 즉, 마치 눈으로 보는 것처럼, 귀로 듣는 것처럼 오감으로

느낄 수 있도록 표현합니다. 다음으로는 GTP를 활용하여 묘사에 대한 것을 생성한 예시글입니다.

1. **도시의 복잡함**: "도시의 거리는 끊임없는 인간의 움직임으로 가득 차 있었다. 빠르게 지나가는 사람들이 시끄럽게 말을 주고받으며 급한 발걸음으로 지나치고, 자동차의 경적 소리가 끊임없이 울렸다."

2. **자연의 아름다움**: "해가 떠오르자 빛이 산 위에 천천히 퍼져나가는 것 같았다. 언덕에 불빛이 갈색 흙 위에서 느리게 번져 나가서 숲의 나무들 위로 흐르고, 마지막으로 붉은 해뜨거리는 들꽃 위로 물러갔다."

3. **감정의 복잡함**: "그는 고개를 숙인 채 억누른 한숨을 내뱉었다. 그의 얼굴은 단조로운 회색 그림자에 가려져 있었지만, 눈은 밝은 빛을 띠고 있었다."

그리고 문학에서의 설명은 대상의 기능, 원리, 역사, 특징. 즉, 인물의 배경과 사회적 역사적 맥락을 제공하고 특정 개념이나 사건의 의미 해석에 사용되어 주로 정보 전달이나 사실에 기반하여 제공되며 독자의 이해를 돕습니다. GTP에게 질문하여 얻은 설명에 대한 글은 다음과 같습니다.

설명은 개념이나 상황을 분명하게 전달하고 이해를 돕는 문장입니다. 몇 가지 예시를 드리겠습니다:

1. **과학적 설명**: "화학 반응에서 촉매는 반응 속도를 증가시키는 역할을 합니다. 촉매는 반응 에너지 장벽을 낮추어 반응이 빠르게 진행되도록 도와줍니다."

2. **역사적 설명**: "제1차 세계 대전은 1914년에서 1918년까지 지속된 세계적 대규모 전쟁으로, 주요 유럽 국가들과 그 제휴국들이 참여했습니다. 이 전쟁은 신뢰의 파괴와 전투에서의 혼란으로 유명합니다."

3. **기술적 설명**: "인공지능 기술은 컴퓨터 시스템이 지능적인 작업을 수행하도록 설계된 기술입니다. 이 기술은 데이터 분석, 자율주행 차량, 음성 인식 등 다양한 분야에 응용됩니다."

설명은 독자가 더 잘 이해하고 배울 수 있도록 정보를 체계적으로 제공하는 데 중요한 역할을 합니다.

특히 소통에 있어 묘사는 탈동일시라는 글쓰기가 가능합니다. 내 생각을 빼고 모든 대상을 관찰할 수 있도록 해줍니다. 내 생각으로 판단하여 상대의 마음이나 의도를 왜곡하지 않기 때문에 서로의 생각이 달라도 진실한 대화를 나눌 수 있으며 일기도 이러한 방식으로 쓰면 글감 훈련도 될 수 있습니다.

2) 통합적 접근

따라서 글쓰기의 효과적인 방법은 묘사와 설명이 서로 상호보완적 사용입니다. 이 두 기법을 사용하면 더욱 깊이 있는 이해력과 사고를 제공하고 문학작품을 다층적 구조로 만들 수 있기 때문입니다.

지금까지 AI를 활용한 글쓰기를 배워봤는데요. 두 소설가의 말을 소개하겠습니다.

소설가 호손은 '읽기 쉬운 글은 가장 쓰기 어렵다'고 했습니다. 또한 아래와 같은 단어 6개로 자신들을 울릴 만한 소설을 써보라는 요청에 즉석에서 글을 지어낸 헤밍웨이가 있습니다.

팝니다. 아기 신발, 한 번도 사용된 적 없음

이 6단어에는 수많은 내용이 함축돼 있습니다. 헤밍웨이나 호손은 수없는 고쳐 쓰기로 유명한 소설가입니다. 따라서 어떠한 장르이던, 글쓰기는 일단 무조건 쓰고 수없이 고쳐 쓰는 것임을 잊지 말아야 할 것입니다.

5) 편집

편집 단계는 전문가의 도움을 받아 원고를 최종적으로 다듬는 과정입니다.

1) 전문 편집

○ 편집 도구 활용 : 편집 도구를 활용하여 1차적인 구조 및 내용 검토를 수행합니다. 예를 들어, 논리와 흐름을 점검하고, 내용의 일관성과 정확성을 확인합니다.

○ 전문 편집자의 검토 : 전문 편집자의 경험과 통찰을 바탕으로 도구의 제안을 검토하고 최종 수정을

합니다. 예를 들어, 편집 도구로 초벌 편집을 한 후, 전문 편집자가 이를 바탕으로 심층적인 편집 작업을 수행합니다.

2) 디자인 구성

○ 플레이그라운드 AI : 플레이그라운드 AI를 활용하여 초기 표지 디자인 아이디어를 생성합니다. 사용자는 간단한 프롬프트를 입력하여 다양한 스타일의 이미지를 생성할 수 있습니다.

○ 캔바(Canva) : 생성된 이미지를 캔바와 같은 디자인 도구를 사용하여 세부적으로 수정하고, 텍스트와 그래픽 요소를 추가할 수 있습니다. 캔바는 직관적인 인터페이스와 다양한 템플릿을 제공합니다.

○ 미리캔버스 (Mirr Canvas) : 미리캔버스를 사용하여 다양한 책 표지 템플릿 중 하나를 선택하여 디자인을 세부적으로 수정하고, 텍스트와 그래픽 요소를 추가할 수 있습니다.

○ InDesign : Adobe InDesign을 사용하여 새로운 책 프로젝트를 생성하고 페이지 레이아웃을 설정합니다. 텍스트 박스, 이미지 프레임 등을 추가하여 책의 레이아웃을 구성하고 타이포그래피와 스타일을 적용합니다.

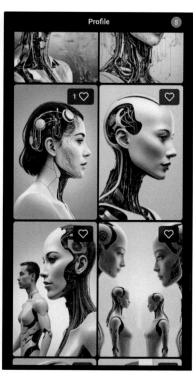

(플레이그라운드AI 생성된 이미지)

3) 상업적 이용이 가능한 무료 이미지 사이트

○ Pixabay

Pixabay는 고품질의 무료 사진, 일러스트레이션, 벡터 그래픽 및 동영상을 제공합니다. 모든 콘텐츠는 상업적 용도로 무료로 사용할 수 있으며, 저작권 걱정 없이 사용할 수 있습니다.

○ Unsplash

Unsplash는 고해상도의 무료 사진을 제공하며, 사진작가들이 직접 촬영한 이미지를 공유합니다. 사진들은 상업적 용도로 자유롭게 사용할 수 있습니다.

○ Pexels

Pexels는 무료 사진과 동영상을 제공하며, 상업적 용도로도 사용할 수 있습니다. 다양한 카테고리와 검색 기능을 통해 원하는 이미지를 쉽게 찾을 수 있습니다.

○ Freepik

Freepik은 사진뿐만 아니라 벡터, 아이콘, PSD 파일 등 다양한 디자인 리소스를 제공합니다. 상업적 용도로

사용할 수 있지만, 일부 콘텐츠는 출처를 표시해야
합니다.

AI

8장

출판 등록 및 홍보마케팅

현대 사회에서 상품이나 서비스를 성공적으로 시장에 선보이기 위해서는 효과적인 홍보 마케팅 전략이 필수적입니다. 기술의 발전과 소비자 행동의 변화로 인해 마케팅의 중요성과 역할은 더욱 커졌습니다. 이제 단순히 좋은 상품을 만드는 것만으로는 충분하지 않습니다. 상품의 가치를 소비자에게 전달하고, 그들과 소통하며, 브랜드를 신뢰할 수 있도록 만드는 것이 핵심입니다. 책도 마찬가지입니다. 아무리 좋은 책이더라도 독자들이 알지 못한다면, 그 가치는 경감될 수밖에 없습니다. 따라서 이번 장에서는 다양한 책 홍보마케팅 방법들에 대하여 알아보는 시간을 가지도록 하겠습니다.

1. 출판 등록

 최근에는 개인이 플랫폼을 통하여 비교적 쉽게 책을 등록하고 판매할 수 있습니다. 대표적으로는 부크크가 있으며, 부크크는 외부 대형 온라인서점인 교보문고, YES24, 알라딘 등에 클릭만하면 유통을 할 수 있기에 매우 편리하다는 특징이 있습니다.

1) 부크크(Bookk)
 부크크 플랫폼을 활용하여 ISBN 발급, 인쇄본 제작, 디지털 출판 형식 준비 등을 수행합니다.

○ 부크크 '책 만들기' 페이지에서 종이책 또는 전자책 만들기를 선택하실 수 있습니다.

○ 종이책을 예로 들어서 시작할 경우, 먼저 도서형태 선택 페이지로 시작됩니다.

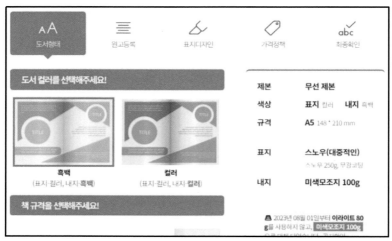

○ 도서형태 선택이 완료되면, 원고등록 페이지가 나옵니다. 제목, 카테고리 등을 선택합니다.

○ 표지디자인 선택 및 업로드합니다.

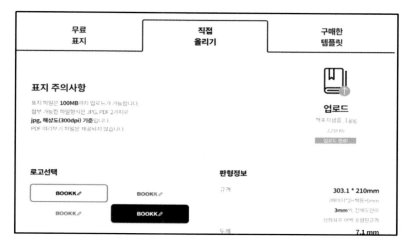

○ 정가설정, 정가인하, 외부서점 입점을 선택합니다.

○ 도서소개, 목차, 저자 경력 소개를 입력해 주신 후에
　도서제출을 클릭하시면 심사로 이어집니다.

○ 심사는 3일 정도의 시간이 걸리며, 진행상황을 심사·
　신청 페이지를 통해서 확인이 가능합니다. 전자책
　등록 과정은 종이책 등록 과정과 매우 유사하며 보다
　쉽습니다.

2) 크몽
　크몽은 다양한 출판 서비스를 제공하는 플랫폼으로,
저가 출판 및 마케팅 지원을 제공합니다.

3) 리디북스

리디북스는 디지털 출판에 강점을 가진 플랫폼으로, 저가 출판 및 배포를 지원합니다.

2. 마케팅 전략 수립

데이터 분석 도구를 활용하여 타깃 독자층을 파악하고 초기 마케팅 전략을 수립합니다. 예를 들어, 분석 결과를 바탕으로 주요 타깃 독자층을 파악한 후, 이들에게 효과적으로 접근할 수 있는 온라인 마케팅 전략을 수립합니다. 개인 작가나 소규모 출판사를 위한 저비용 마케팅 전략을 소개합니다.

먼저 소셜 미디어를 활용할 수 있습니다. 플랫폼으로는 인스타그램과 페이스북이 있으며, 책 표지와 주요 문구 이미지를 포스팅하는 전략이 있습니다. 또한 짧은 책 소개 숏폼 제작 및 독자 참여 이벤트(댓글, 공유 이벤트)를 고려해 볼 수 있습니다. 그다음으로는 네이버 블로그나 티스토리를 활용하여 책 관련 주제로 정기적인 포스팅을 하거나 책 일부 내용을 미리보기 제공하여 관심을 유도할 수 있습니다.

또한, 온라인 서점을 활용할 수도 있습니다. 주요 사이트로는 교보문고, 예스24, 알라딘이 있습니다. 주로 책 소개 페이지를 상세히 작성하거나 초기 구매자 대상 리뷰를 요청, 커뮤니티 참여 유도가 있습니다. 추가적으로 관련 주제의 네이버 카페, 다음 카페 활동, 책 주제와 관련된 게시글 작성 및 소통, 직접적인 홍보보다는 전문성 어필을 위한 고려도 있습니다. 이외에 유튜브를 활용한 책 주제 관련 영상 제작, 책 하이라이트 소개 영상, 작가 인터뷰 또는 책 쓰기 과정 공유가 있습니다. 이와 관련하여 이번에는 GPT에게 물어보았습니다.

1) 온라인 마케팅

○ 소셜 미디어 활용 : 페이스북, 인스타그램, 트위터, 유튜브 등에서 책 관련 콘텐츠를 게시하고 독자와 소통합니다.

○ 블로그 및 웹사이트 : 책 관련 블로그를 운영하거나, 웹사이트를 만들어 책에 대한 상세 정보와 구매 링크를 제공합니다.

○ 이메일 마케팅 : 뉴스레터를 통해 신간 소식, 이벤트, 할인 정보 등을 전달합니다.

○ 온라인 광고 : 구글 애드워즈, 페이스북 광고 등을 통해 책을 홍보합니다.

2) 콘텐츠 마케팅

○ 블로그 게시물 : 책의 일부 챕터를 발췌하거나 관련 주제를 다루는 글을 작성합니다.

○ 비디오 콘텐츠 : 책 트레일러, 작가 인터뷰, 책 리뷰 등을 유튜브에 게시합니다.

○ 팟캐스트 : 책 관련 팟캐스트에 출연하거나, 직접 팟캐스트를 운영합니다.

3) 미디어 및 PR

○ 언론 보도 : 신문, 잡지, 라디오, TV 등 전통 미디어에 보도자료를 배포합니다.

○ 인터뷰 및 기사 : 작가 인터뷰를 통해 책의 내용을 알리고, 주요 매체에 기사를 제공합니다.

○ 도서 리뷰어 및 인플루언서 : 도서 블로거, 유튜버, 인스타그램 인플루언서에게 책을 보내 리뷰를 요청합니다.

4) 오프라인 마케팅

○ 책 이벤트 : 출판 기념회, 책 사인회, 독서 토론회 등을 개최합니다.

○ 도서 전시회 및 박람회 : 책 박람회에 참가해 책을 홍보하고 판매합니다.

○ 서점 프로모션 : 주요 서점과 협력하여 책을 눈에 띄는 위치에 배치하거나, 서점 내 이벤트를 개최합니다.

5) 커뮤니티 및 네트워킹

○ 독서 클럽 : 독서 모임에 책을 소개하고 토론합니다.

○ 도서관 협력 : 도서관에 책을 기증하거나, 도서관 이벤트에 참여합니다.

○ 작가 네트워크 : 다른 작가와 협력하여 상호 홍보를 진행합니다.

6) 디지털 출판 플랫폼

○ 전자책 및 오디오북 : 전자책과 오디오북으로 출판하여 더 많은 독자에게 접근합니다.

○ 자기 출판 플랫폼 : 아마존 킨들 다이렉트 퍼블리싱 (KDP) 등에서 책을 출판하고 홍보합니다.

7) 독자 참여 유도

○ 독자 리뷰 요청 : 책을 구매한 독자에게 리뷰를 남겨달라고 요청합니다.

○ 콘테스트 및 경품 이벤트 : 소셜 미디어나 블로그에서 경품 이벤트를 열어 참여를 유도합니다.

○ 피드백 수집 : 독자 피드백을 바탕으로 책의 개선점을 찾고, 독자와의 소통을 강화합니다.

8) 특별 할인 및 프로모션

○ 출시 기념 할인 : 신간 출시 시 일정 기간 동안 할인된 가격에 판매합니다.

○ 묶음 판매 : 비슷한 주제의 책을 묶음으로 판매하여 구매 유도를 합니다.

○ 기념일 프로모션 : 주요 기념일에 맞춰 특별 할인 이벤트를 진행합니다.

위와 같이 알려주었으며, 이 외에도 목표 독자층과 책의 특성에 맞춘 맞춤형 마케팅 전략을 세우는 것이 중요하다는 정보를 주었습니다.

이러한 저비용 마케팅 전략들은 개인 작가나 소규모 출판사가 제한된 예산으로도 효과적으로 책을 홍보하고 독자와 소통할 수 있게 해줍니다. 중요한 것은 일관성 있게 콘텐츠를 제작하고, 독자와의 진정성 있는 소통을 유지하는 것입니다.

3. 창작의 동반자 AI

디지털 기술과 AI의 발전은 출판 산업에 새로운 활력을 불어넣고 있습니다. 이제 작가들은 전통적인 방식과 첨단 기술을 조화롭게 활용하여 창작의 범위를 넓힐 수 있습니다. AI는 단순한 도구를 넘어 창작의 동반자로 진화하고 있습니다. 그러나 AI가 아무리 발전해도 인간 고유의 감성과 경험을 대체할 수는 없습니다. 작가 여러분의 독특한 시각과 이야기는 여전히 가장 중요한 자산입니다.

출판 과정은 여전히 도전적입니다. 하지만 이제는 AI

도구들을 현명하게 활용하여 창작에 더 많은 시간과 에너지를 쏟을 수 있습니다. 디지털 시대의 작가로서, 여러분은 전례 없는 기회를 맞이하고 있습니다.

전 세계 독자들과 직접 소통할 수 있는 플랫폼, 데이터를 기반으로 한 정교한 타깃팅, AI의 지원을 받는 창작 과정 등 과거에는 상상도 못했던 도구들이 이제는 여러분의 손끝에 있습니다. 그러나 이 모든 기술 속에서도, 가장 중요한 것은 여전히 여러분의 진정성 있는 이야기입니다.

기술은 여러분의 목소리를 더 멀리, 더 선명하게 전달하는 도구일 뿐입니다. 이제 여러분의 이야기로 세상을 깨우고, 감동시키고, 변화시킬 차례입니다. 두려워하지 마세요. 여러분의 창의성과 AI의 능력이 만나는 지점에서 새로운 문학의 지평이 열릴 것입니다.

나오는 말

AI 개발은 마이크로프로세서, 개인용 컴퓨터, 인터넷, 휴대전화만큼 근본적이다. 그리고 생애 두 번째로 혁명적 기술이다. 이 말은 세계적인 IT 거장 '빌 게이츠'가 AI의 발전을 두고 했던 말입니다. 여기에 덧붙여서 향후 5년 내로 AI가 모든 인간의 삶에 변화를 가져올 것이라고도 말하였습니다.

그렇습니다. 지난 1년의 시간을 되돌아보며 생각해 보았을 때, 빌 게이츠의 말처럼 5년 내 AI가 모든 인간의 삶에 변화를 가져올 것이라는 것은 결코 허무맹랑한 생각은 아니라는 것을 알 수 있습니다. 현재의 AI 발전만으로도 우리 인류는 기존에 여러 명이서 해오던 작업을 혼자서도 해낼 수 있으며, 기존의 역량으로는 차마 엄두를 내지 못할 영역에도 도전을 해볼 수 있게 되었습니다.

이처럼 현재 시점만으로도 변화를 느끼고 있는 상황에서 향후 5년이라는 시간은 정말 예측하기 어려운 시간입니다. 얼마나 더 크게, 더 넓게 AI가 발전할 것인지 이 글을 쓰는 순간에도 기대가 되면서 두려움도 몰려옵니다.

이 같은 가까운 미래를 두고서 어떤 이는 이와 같이 말하였습니다. "AI 시대에서 AI 활용능력이 갖추지 못한다면, 분명 뒤처지게 될 것이다." 이 말을 빌려서 강하게 말하고 싶습니다. 아주 빠르게, 그리고 적극적으로 AI 활용능력을 키워나가 보세요. 미리 준비하여 역량을 키워 놓는다면 앞으로의 AI 시대에서 웃음 지을 수 있는 사람은, 바로 이 글을 읽고 있는 독자님이 되실 수 있습니다.

모든 시간 속에 행운이 깃들어 좋은 일이 가득한 삶이 되시기를 진심으로 소망합니다. 감사합니다!

2024. 07. 25

공저책 출판 총괄
박 종 식

모두의 AI 활용 글쓰기와 출판 가이드

발　행 | 2024년 08월 06일

저　자 | 남애영, 안순영, 지승주, 정진희, 최선희, 최유경, 현혜숙

펴낸이 | 한건희

펴낸곳 | 주식회사 부크크

출판사등록 | 2014.07.15.(제2014-16호)

주　소 | 서울특별시 금천구 가산디지털1로 119 SK트윈타워
　　　　 A동 305호

전　화 | 1670-8316

이메일 | info@bookk.co.kr

ISBN | 979-11-410-9958-9

www.bookk.co.kr